L'Homme aux trésors

Du même auteur

Journal intime d'un Québécois au Mexique, préface de Constance et Charles Tessier, Éditions Populaires, 1971.

Journal intime d'un Québécois en Espagne et au Portugal, préface de Robert-Lionel Séguin, Éditions Populaires, 1971.

Mes rencontres avec les grandes vedettes, préface de Fernand Robidoux, Éditions Populaires, 1972.

Journal intime d'un Québécois en France, en Grèce et au Maroc, préface d'Ernest Pallascio-Morin, Éditions Populaires, 1973.

L'escapade, roman, préface de Yoland Guérard, Éditions Populaires, 1973.

Le Maroc sans problème, coauteur avec Jean Côté, Éditions Point de mire, 1976.

Dana l'Aquitaine, roman, Éditions Héritage, 1978.

À la recherche du pays de Félix Leclerc, coauteur avec Claude Jasmin, 24 tableaux de Fernand Labelle, Publications Transcontinental, 1989.

De Ville-Marie à Montréal, coauteur avec Ernest Pallascio-Morin, 75 tableaux de J. Marcel Bourbonnais, Publications Transcontinental, 1991.

Félix Leclerc, l'homme derrière la légende, biographie, Éditions Québec/Amérique, 1994.

L'Homme aux trésors

Robert-Lionel Séguin

MARCEL BROUILLARD

É D I T I O N S QUÉBEC/AMÉRIQUE

425, RUE SAINT-JEAN-BAPTISTE, MONTRÉAL (QUÉBEC) H2Y 2Z7 (514) 393-1450

Données de catalogage avant publication (Canada)

Brouillard, Marcel, 1930-
L'Homme aux trésors : Robert-Lionel Séguin
(Collection Littérature d'Amérique. Biographie).

ISBN 2-89037-885-3
1. Séguin, Robert-Lionel, 1920-1982. 2. Ethnologues - Québec
(Province) - Biographies. I. Titre. II. Collection.
GN21.S43B76 1996   305.8'0092   C96-940747-5

*Les Éditions Québec/Amérique bénéficient du programme de subvention globale
du Conseil des Arts du Canada.*

Dépôt légal : 2e trimestre 1996
Bibliothèque nationale du Québec
Bibliothèque nationale du Canada

Correction d'épreuves : Robert Brouillard

Mise en page : Julie Dubuc

En hommage posthume à mon ami Lionel ;
à mes enfants Lise et Alain,
à Pauline, ma femme depuis quarante-trois ans ;
et, à vous qui me lisez, merci de votre
bienveillance et de votre complicité.

Remerciements

Toute ma reconnaissance va à Huguette Servant-Séguin pour sa grande amitié bien partagée. Elle m'a fait entièrement confiance en me fournissant de nombreux détails sur la vie de son mari et en mettant à ma disposition ses archives et ses photographies.

Avons-nous relevé le défi de Gilles Boulet, directeur général du Musée des arts et traditions populaires du Québec, qui manifestait le grand désir de voir un livre publié sur Robert-Lionel Séguin? Ce fut toute une joie mêlée d'anxiété de répondre à son appel, lui qui nous accorda sans cesse un appui précieux et sut nous communiquer son feu sacré.

Pour ses conseils judicieux et son aide indispensable, merci à Liliane Michaud qui m'a permis de mener à bien cette biographie et encore merci, bien sûr, à Jacques Fortin, président de Québec/Amérique.

Table des matières

INTRODUCTION

Autant vous le dire tout de suite, je ne suis ni historien, ni savant, ni ethnologue, ni génie comme le fut Robert-Lionel Séguin; je n'ai donc jamais été son confrère ni son collègue. Mais loin de moi l'idée de m'en plaindre puisque j'ai eu le privilège d'être son ami pendant trente-deux ans. C'est à Rigaud, le 24 juin 1950, que notre première rencontre a eu lieu dans la maison familiale de Marie-Jeanne, sa mère. Notre amitié fut immédiate, aussi soudaine qu'un coup de foudre.

Trente-deux ans de souvenirs, c'est une somme de rencontres, d'événements, d'anecdotes, de joies, de peines, qui envahissent ma mémoire quand je pense à ce «premier historien de l'homme québécois». Cet être d'exception qui est toujours présent parmi nous à travers son œuvre et qui continuera de l'être encore plus par le Musée des arts et traditions populaires du Québec. C'était son rêve le plus cher de voir naître cet établissement qu'il avait secrètement souhaité diriger un jour. Et on peut dire, sans craindre de se tromper, qu'il aurait assumé cette tâche de main de maître, lui dont l'enseignement a su former des élèves parmi lesquels bon nombre sont devenus des sommités. Lui qui déployait une énergie aussi gigantesque que l'étendue de son savoir, sans jamais verser dans la suffisance ou l'improvisation, car en érudit accompli, il ne pouvait se contenter d'à-peu-près ou d'un travail fait à la hâte.

Polémiste à ses heures, combattant au service du pays à construire avec des bras, des idées et un cœur à la bonne place, c'était un pionnier. Dieu sait que les gens de cette espèce qui épousent une cause noble ne changent pas facilement d'idée lorsqu'ils croient avoir raison. Homme de principes, les compromis et les accommodements le déroutaient, l'enrageaient même et l'aiguillaient vers d'autres chemins moins fréquentés. Maniaque de précision, du détail, du mot juste dans tout ce qu'il disait ou écrivait, il a souvent dérangé ses proches, voire ceux du milieu universitaire. On a souvent tenté de le dissuader ou de contrer ses demandes sous prétexte d'exigences trop pointilleuses, trop originales. «Ce n'est pas protocolaire», lui disait-on. «Protocolaire!», il avait en horreur ce mot à la mode dans certains bureaux gouvernementaux. Par bonheur, son caractère aucunement vindicatif, sa ténacité, ses valeurs spirituelles, l'amour des siens lui ont permis d'aller de l'avant dans tout ce qu'il entreprenait.

Il faut dire que Lionel était avant tout bon vivant, généreux, chaleureux, accueillant : toutes qualités que partageait Huguette Servant, la femme de sa vie. Bardé d'un lot impressionnant de doctorats, de diplômes, de reconnaissances et d'honneurs, qui lui sont venus parfois bien tardivement, Robert-Lionel Séguin n'a pourtant jamais été homme à pavoiser. Cet historien unique a su nous transmettre sa pensée par de nombreux écrits ; mais il nous faut aussi louer son flair qui a guidé le choix des vastes collections d'articles glanés à Saint-Jean-Port-Joli ou en Picardie, d'où venaient les premiers Séguin établis à Boucherville en 1665. Du clou de tisserand à la batteuse ou au marche-à-terre, du vieux manuscrit de Jules Fournier aux vêtements d'étoffe du pays, de la pioche à la charrue : plus que de simples objets, c'est notre passé qu'il a fait revivre ; c'est notre mémoire, en somme.

L'étude du labeur quotidien de nos ancêtres lui a révélé toute la grandeur d'âme de la nation québécoise. L'ethnologue admiré et controversé à la fois s'est appliqué à sortir nos aïeux de la légende folklorique pour les mettre vraiment en valeur. Il n'a pas hésité à parler d'eux comme de gens capables de vibrer, de vivre intensément. Ils aimaient s'amuser, veiller au bien-être de leur progéniture, faire bonne chère, fêter. Ils levaient aussi allègrement le coude que le cotillon. C'était, de dire Séguin dans ses deux volumes sur *La vie libertine en Nouvelle-France*, des êtres normaux, intelligents, humains, pleins de défauts et de qualités.

Et voilà que le passionné d'histoire qui, par sa joie de vivre, sa chaleur, a su nous intéresser aux faits et gestes de nos anciens est entré à son tour dans la légende et qu'il appartient désormais à notre histoire. Lui qui avait l'habitude de dire que c'est au quotidien que l'on construit son véritable pays est toujours vivant par cet éveil de la conscience qu'il a suscité tout au long de sa vie. Ceux qui ont eu le bonheur de côtoyer Séguin sont toujours dans l'arène, armés d'une fougue qui ne se dément pas et d'une foi inébranlable en l'avenir du peuple québécois. « Chacun, affirmait-il, a un rôle à jouer. La jeunesse d'abord. Le cultivateur, le bûcheron, le menuisier, l'infirmière autant que l'artiste doivent se prendre en main et se mettre au service de la collectivité. Les politiciens et les justiciers doivent en faire autant et davantage. »

Robert-Lionel Séguin nous a quittés il y a quatorze ans, en 1982, mais son souvenir sera maintenant immortalisé grâce au Musée des arts et traditions populaires d'envergure nationale et internationale, où l'on trouve sa collection ethnographique, sans contredit la plus complète en Amérique du Nord. Comme disait Félix Leclerc : « Séguin, c'est quelqu'un de noble et de fier, un véritable conquérant, un authentique Québécois... C'est aussi un ramasseux, un fouilleux, un rassembleux, un vrai chef d'orchestre à qui nous devons énormément. Il nous a laissé tout un héritage, qui fera l'orgueil de tout son peuple. »

Marcel Brouillard

Descendance directe de la famille Séguin

Depuis François, l'ancêtre venu de France, jusqu'à Robert-Lionel (branche québécoise du côté paternel)

François Séguin (1er fils) 1644-1704	marié à Boucherville 31 octobre 1672 (11 enfants)	Jeanne Petit 1643-1733
Jean-Baptiste (4e fils) 1688-1728	marié à Boucherville 7 juin 1710 (9 enfants)	Geneviève Barbeau 1689-1773
Pierre (3e fils) 1716-1788	marié à Sainte-Anne du Bout de l'Île 3 février 1739 (9 enfants du 1er et 5 du 2e)	Marie-Josephte Malet 1715-1760 Marie-Catherine André*
Jean-Noël (3e fils) 1767-1831	marié à Vaudreuil 21 janvier 1793 (11 enfants)	Marie Larocquebrune 1770-1832
Jean-Baptiste (5e fils) 1802-1870	marié à Rigaud 18 octobre 1824 (17 enfants)	Josephte Sabourin 1808-1871
Napoléon (1er fils) 1847-1929	marié à Rigaud 23 janvier 1872 (21 enfants, dont Omer**)	Émiliana Gauthier 1854-1939
Omer (4e fils) 1880-1955	marié à Rigaud 15 janvier 1917 (1 enfant : Robert-Lionel)	Marie-Jeanne Séguin 1887-1986
Robert-Lionel (1er fils) 1920-1982	marié à Rigaud 26 octobre 1957 (sans enfant)	Huguette Servant 1928-

* Pierre Séguin épousa en secondes noces, à Sainte-Anne du Bout de l'Île, le 3 novembre 1761, Marie-Catherine André, dite Saint-Amant, fille de Louis et d'Anne Samson.

** Omer, sixième enfant d'une famille de 21, est né à Rigaud le 19 mars 1880. Il est le père de Robert-Lionel.

CHAPITRE PREMIER

1920

Lorsque ses cris de nouveau-né retentissent au-dessus des fonts baptismaux de l'église de Rigaud, en ce 7 mars 1920, sous la pincée de sel de l'abbé Aimé Hébert, Robert-Lionel Séguin ne sait pas que le destin vient de lui faire un cadeau. «Un an plus tard, j'aurais eu de fortes chances d'être emporté par la grippe espagnole qui a sévi partout dans le monde, notamment dans mon village où plusieurs personnes ont été transportées au cimetière sans même s'arrêter à l'église pour un *Te Deum*.»

Pour le moment, les parents Marie-Jeanne Séguin et Omer Séguin, qui portent le même nom sans avoir aucun lien de parenté, s'affairent à consoler le poupon, sous les regards déjà protecteurs des parrain et marraine, Amédée Séguin, menuisier, et sa femme, Célima Cadieux, grands-parents maternels de l'enfant. Personne n'aurait pu se douter un seul instant, dans cette famille sans histoire au degré d'instruction fort modeste, que le bébé joufflu qui vient officiellement de recevoir le prénom de Robert-Lionel figurerait un jour dans les pages d'un dictionnaire.

L'heureux événement est tout de même assombri par un différend dans le couple depuis la naissance de l'enfant. Contrairement à sa femme, croyante et dévote, Omer, un peu libre penseur pour son temps, hésitait à l'idée d'amener son fils à l'église quelques heures après l'accouchement difficile, car il faisait un froid sibérien. Marie-Jeanne, autoritaire et disciplinée, n'en démord pas : elle craint pour l'âme de son nourrisson qui, en cas de malheur, risquerait de se retrouver aux limbes, s'il devait être privé du sacrement destiné à laver le péché originel et à en faire un bon chrétien.

Cette discussion n'est ni la première ni la dernière entre Omer et Marie-Jeanne depuis l'annonce de la grossesse. La naissance ne fait que détériorer les rapports du couple qui finit par craquer un an plus tard ; encore à ce jour, le mystère reste entier quant aux motifs de cette rupture. La situation n'est pas banale pour l'époque, et les parents du voisinage refusent que leurs enfants participent aux jeux de celui qui n'a plus de père à la maison. Longtemps, le gamin souffrira de cette situation injuste.

Fils de Napoléon Séguin et d'Émiliana Gauthier, Omer avait épousé Marie-Jeanne, le 15 janvier 1917, à Rigaud. Elle était la fille d'Amédée Séguin et de Célima Cadieux, qui eurent neuf enfants. Après sa séparation, Marie-Jeanne alla vivre chez l'un deux, Victor, qui était demeuré célibataire. Pendant quelques années, Marie-Jeanne vécut ainsi avec ses frères Victor, Arthur et Oscar et les deux enfants, Lorraine et Réal, de sa sœur Ida qui était séparée de son mari, Jules Malartre.

Lionel n'a jamais voulu parler de ce père qu'il n'a pratiquement pas connu et n'a jamais cherché à savoir ce qui s'était passé vraiment entre sa mère et son père, le bel homme, chaleureux, solide de nature et sociable. Peu de temps après la désunion, Omer vendit son restaurant, situé à deux pas de l'église le long de la petite rivière qui sépare en partie le village de la paroisse. Il se retira sans le sou, caché souvent au cœur de la forêt. Il coupa les ponts avec les siens et les habitants de son village, plein d'amertume, sans jamais s'en remettre. Plus rien ne l'intéressait. Il continua d'aimer Marie-Jeanne et de conserver précieusement les quelques photos de son mariage et du baptême de son fils. Quand il apercevait sa femme aux alentours, il essayait d'attirer son regard, d'implorer sa clémence. Rien n'y fit. Le pardon ne lui fut jamais accordé. Quel crime avait-il pu commettre? On a parlé de petites fredaines de jeunesse dévoilées par quelque jaloux...

C'est de très loin que le gaillard, brisé et anéanti, a suivi la carrière fulgurante de son fils très tôt perdu. On peut supposer que c'est le cœur serré qu'il venait à passer rue Saint-Jean-Baptiste devant la grande maison de bois avec des lucarnes, une grande galerie et un hangar accroché au logement où la jolie Marie-Jeanne menait la destinée de tout son petit monde. Son fils ne pourra jamais se défaire de l'emprise que cette femme indépendante et intelligente exerça sur lui. Jusqu'à sa mort, à l'âge de 99 ans, en décembre 1986, elle garda sa pleine lucidité et un jugement sans faille.

Riches années que ces années 20 qui furent marquées par tant d'événements importants, notamment par l'élection d'Arthur Meighen, conservateur, comme premier ministre du Canada, en remplacement de Robert Borden. Meighen, lié aux gros intérêts de Toronto et entouré de francophobes et d'anti-catholiques, ne fit pas long feu, surtout au Québec. On ne lui pardonna jamais d'avoir été favorable à la conscription de 1917.

Quatorze mois plus tard, Mackenzie King, libéral, prend le pouvoir à Ottawa. Même si ce dernier n'a jamais pu dire «merci» en français, il rafle les 65 sièges du Québec, qui devient «rouge» mur à mur. C'est aussi en 1920 que le libéral Louis-Alexandre Taschereau devient premier ministre du Québec. Il succède à Lomer Gouin. Le nouvel élu profite de la prospérité d'après-guerre et de la venue d'une immigration massive, surtout de Chine, pour faire appel aux capitaux étrangers afin d'implanter de nouvelles entreprises au Québec. À ce moment-là, raconte Séguin, la riposte d'Henri Bourassa et de l'abbé Lionel Groulx fut cinglante.

Puis vinrent d'autres premiers ministres : Adélard Godbout et Maurice Duplessis... C'est aussi en 1920 que l'Université de Montréal ouvre l'École des sciences sociales, économiques et politiques. Lionel y alla plus tard chercher ses premiers diplômes dans ces domaines où il aurait pu faire carrière. Mais il voulait en savoir davantage, tâter le terrain dans d'autres sphères. Longtemps il cherchera sa véritable voie.

C'est également en 1920 que Jeanne d'Arc fut canonisée par le pape Benoît XV et, vraiment dans un tout autre domaine, que Georges Simenon publia son premier roman, *Au pont des arches*, sous la signature de Georges Sim, son nom véritable. C'est encore la mise sur pied de la Gendarmerie royale du Canada (Séguin ne pouvait pas souffrir de voir la police montée à cheval dans son costume d'apparat, et ne supportait surtout pas qu'elle se mêle de jouer les justiciers au Québec). Pour être radical, bien tranché, Lionel l'était, mais lui, au moins, savait le pourquoi de ses prises de position basées essentiellement sur l'histoire.

Toujours pendant les années 20, alors que la radio n'existe pas encore, on assiste à un renouveau de la pensée canadienne-française nettement dominée, à la fin de la Première Guerre, par le chanoine Lionel Groulx. Cet historien de Vaudreuil influença considérablement l'intelligentsia du Canada français jusqu'à la fin de 1950, grâce à la revue *L'Action française*, fondée en 1920, qui prônait dès lors une indépendance politique, sociale, économique et intellectuelle. Élève de l'abbé Groulx, Robert-Lionel prendra ses distances de son professeur qui était coincé, il faut bien le dire, par son engagement ecclésiastique.

Édouard Montpetit et Errol Bouchette viendront ensuite inciter les francophones à fonder leurs propres industries afin d'exercer le contrôle de leur économie, ce qui allait plaire à Séguin qui était loin d'être un rêveur. Dans d'autres domaines culturels, Marius Barbeau et Édouard-Zotique Massicotte firent le recensement des chansons folkloriques québécoises pour le compte de l'Université Laval où sont créées les Archives de folklore en 1920. La même année aussi, Jules Fournier, de Coteau-du-Lac, signait de nombreux articles dans *Le Devoir, La Patrie* et *Le Nationaliste* et publiait *L'anthologie des poètes canadiens-français*, préfacée par Olivar Asselin. Le volume contient 18 poèmes d'Émile Nelligan, dont un des préférés de Robert-Lionel Séguin, « Le Vaisseau d'or » :

> Ce fut un grand Vaisseau taillé dans l'or massif :
> Ses mâts touchaient l'azur sur des mers inconnues ;
> La Cyprine d'amour, cheveux épars, chairs nues,
> S'étalait à sa proue, au soleil excessif.

CHAPITRE 2

De la Picardie à Rigaud

Au recensement de 1725, Jean-Baptiste Séguin figure comme le plus vieux concessionnaire de la seigneurie de Vaudreuil. D'autre part, dès l'été de 1783, Jean-Noël Séguin s'amène à Rigaud avec les premiers défricheurs. C'est sur un lopin de cette terre concédée à Jean-Noël que Robert-Lionel, de la huitième génération des Séguin, est né. Ce qui en fait à n'en pas douter le plus authentique des fils de la presqu'île de Vaudreuil-Soulanges.

«Mon premier ancêtre canadien, François Séguin dit Ladé-route, écrit Lionel, naquit à Saint-Aubin en Bray, diocèse de Beauvais, en Picardie, le 4 juillet 1644, et débarqua au pays avec le régiment de Carignan, compagnie de M. Saint-Ours. Il arriva bien entendu par bateau, le *Saint-Sébastien*, le 13 septembre 1655.» Le surnom de Ladéroute accolé au patronyme Séguin ne rappelle en rien quelque fuite ou défaite ; il s'agit plutôt de la corruption d'un nom de lieu, soit le département de l'Hérault. De là le nom de Saillyen de l'Hérault devenu, par déformation, Séguin dit Ladéroute.

Dès son jeune âge, Lionel prit l'habitude de consigner tout ce qui lui passait par la tête. Il a rempli un nombre incroyable de carnets de notes étonnamment sérieuses pour un âge si tendre. Dans un petit cahier secret qui remonte à ses quinze ans, on peut lire : «Je peux donc dire légiti-mement que l'auteur de la famille Séguin en terre laurentienne fut l'un des fondateurs de la Nouvelle-France. C'est un des plus beaux titres de gloire et je suis fier de le proclamer.»

Un peu plus loin, il note des propos tenus par l'historien Thomas Chapais sur les pionniers de la première heure : «... personnages illustres ou obscurs, qui, de leur croix, de leur épée, de leur charrue, de leur outil, de leur sueur et de leur sang, jetaient ici et cimentaient les bases d'une nation catholique et française.» À 16 ans, il écrit en grosses lettres sur un grand papier brun cette citation d'Ozennan : «La bénédiction de Dieu s'étend sur les familles qui se souviennent des aïeux.» Voilà qui en dit long sur sa maturité d'adolescent.

Comme la famille Séguin est foncièrement picarde, il ne fait pas de doute qu'elle descend de fiers guerriers francs qui habitaient le territoire de l'ancienne Germanie. Ces valeureux soldats qui croisaient alors le fer avec les orgueilleux Romains devinrent les souches de la plupart des habitants de la vieille France et, par ce fait, de nos familles canadiennes-françaises. Ajoutons que le nom Séguin viendrait ou serait une déformation de deux mots de la langue des Francs, *sig* et *win,* qui voudraient dire : «victorieux au combat». L'origine du patronyme des Picards aux ascendances de François Séguin se trouve dans l'un des trois Sailly-Laurette, Sailly-Saillisel ou Sailly-Flibeaucourt. Les gens de ces divers Sailly sont appelés Saillyens, d'où la formation du nom Séguin.

De même qu'on ne saurait expliquer la naissance d'une passion, on ne peut expliquer le grand intérêt qui habitait le jeune Lionel pour ses origines. Encore adolescent, il entretient une correspondance soutenue avec la France. Ses archives révèlent de nombreuses lettres, notamment de Jean-Veniot Préfontaine, président de la Société académique de l'Oise, qui lui fait parvenir une vingtaine de photos des églises, des édifices publics et des rues où les premiers

Séguin habitèrent. À 18 ans, il consacre un long chapitre de son premier travail généalogique à l'historique du régiment de Carignan dans lequel son ancêtre s'illustra avec les 1300 hommes arrivés ici en 1665. Ce furent les sauveurs de la Nouvelle-France qui durent affronter les Iroquois, tout comme Dollard au Long-Sault de Carillon, en 1660.

La venue du régiment de Carignan, soulignait Robert-Lionel, souleva l'admiration des habitants du Bas-Canada. On n'avait jamais vu un bataillon régulier, en uniforme et défilant drapeau en tête au son du fifre et des tambours. Outre leur démarche assurée, un détail attirait l'attention sur les soldats du régiment, leur âge précoce, car ils n'avaient que 17 ou 18 ans, parfois même 14 ans et rarement plus de 28 ans. Les différentes compagnies du régiment de Carignan furent cantonnées à Québec, à l'île d'Orléans, à Trois-Rivières, à Sorel, à Chambly, à Montréal et à Sainte-Thérèse. Plus de 400 soldats refusèrent de retourner en France et s'installèrent chez nous pour y fonder une famille, comme ce fut le cas des Séguin.

À cette lointaine époque, seuls des soldats, des coureurs de bois, des défricheurs et des trafiquants peuplaient le sol laurentien et la population mâle dépassait de beaucoup le nombre de femmes, pour la plupart déjà mariées. Il était donc impératif d'assurer la survivance de ces nouveaux arrivants. C'est dans ce but que le roi de France dépêcha un contingent de jeunes filles recommandées afin de les marier à des colons. Ces Filles du roi, que certains historiens ont qualifiées de Filles de joie, étaient pour Lionel, et il y tenait, des jeunes filles de bonnes familles, issues surtout de Normandie et de Bretagne tout simplement en quête d'un mari. Peut-être le fait que parmi ces dernières figurait une certaine Jeanne Petit, qui allait épouser François Séguin en 1672 à Boucherville, venait-il le conforter dans cette idée.

Ce premier ancêtre, Lionel se plaisait à en rappeler le souvenir, surtout pour sa participation aux premières activités artisanales en Nouvelle-France : «Le tissage est d'abord l'affaire de l'homme ; on n'y intéresse la femme que plus tard. Mais dès 1670, Marie de l'Incarnation, fondatrice de la première école pour jeunes filles en Amérique du Nord, voudrait que la Canadienne et l'Indienne apprennent à tisser. Une décennie plus tard, la colonie compte quatre tisserands, dont un à Montréal. Le plus connu, François Séguin, habite Boucherville, où il tisse des étoffes lorsque les intempéries l'empêchent de "déserter" sa terre.»

Son ascendance essentiellement campagnarde, car les Séguin sont terriens de génération en génération, a fortement influencé les goûts de Lionel pour l'histoire du pays, les études historiques. Ses premières leçons, il les reçoit d'Albini Quesnel et de l'abbé Élie-J. Auclair. Après l'école Saint-François, Lionel fréquente le collège Bourget, dont il gardera le souvenir de jours heureux. Rien ne manque à la joie des collégiens, ni l'air frais ni la limpidité des ruisseaux. Bâtie à flanc de montagne, cette maison d'enseignement fondée en 1850 est affiliée à l'Université Laval en 1884 et à l'Université de Montréal en 1922.

C'est de cette université que Lionel recevra quantité de diplômes, en histoire, en littérature, en économie, en politique et en sciences sociales. C'est aussi là qu'il fera davantage connaissance avec Jean-Marc Gagné, un ami qu'il gardera toute sa vie.

Lionel a 20 ans et a déjà signé de nombreux travaux fort bien documentés dans tous les hebdomadaires de sa région, *L'Interrogation, Le Salaberry, Le Progrès de Valleyfield*. Il publie plusieurs articles, notamment sur Charles-Ovide Perrault, député de Vaudreuil à la Chambre d'assemblée du Bas-Canada (1834-1837) qui assura la fuite de Louis-Joseph

Papineau dont la tête était mise à prix. Ce patriote fut tué à la bataille de Saint-Denis. «Quand on pense, s'indignait Lionel dans son premier livre *Le mouvement insurrectionnel dans la presqu'île de Vaudreuil, 1837-1838,* que 28 députés du Bas-Canada furent emprisonnés et firent l'objet de mandats d'arrestation.» Ce sera un des sujets de prédilection de Lionel.

Si tu veux savoir où tu vas, souviens-toi d'où tu viens, dit le proverbe, et Lionel sentait le besoin de nous le rappeler sans cesse. Dans cette petite patrie de Rigaud, près du lac des Deux Montagnes et à l'est de l'Ontario, où le crépitement des fusillades avait déjà succédé au tumulte des campagnes électorales, Wilfrid Laurier se fera élire comme député de Soulanges. Plus tôt, les habitants vêtus d'étoffe du pays décrochaient souvent leurs fusils, pendus aux soliveaux, pour aller canarder les Habits rouges, ainsi qu'on surnommait nos conquérants les Anglais.

Comme il le fera toute sa vie, Lionel s'active à écrire bon nombre d'articles : «Le vainqueur de Châteauguay», «La prise de Port-Royal», «Le curé Labelle», «L'assemblée de Saint-Charles», «Les fils de la liberté». On peut se demander si Lionel prenait le temps de goûter aux distractions de son âge.

S'il n'a pas vraiment de petite amie, ce n'est pas faute de charme ou de galanterie, sans compter son érudition qui en fait un être séduisant. Cela ne lui vaut pas que de l'admiration, d'ailleurs. Sa rapidité d'esprit, la variété de ses centres d'intérêt le poussent souvent à prendre les devants du peloton. Cette attitude lui attirera souvent de l'inimitié. Pour le moment, les qualités qui en font un être d'exception ont aussi des aspects positifs : il a su capter l'attention d'Huguette, la fille de Corine Lorrain et d'Émile Servant, un voisin cultivateur, et il semble bien que l'intérêt soit mutuel... Ces deux-là se sont reconnus.

CHAPITRE 3

Folklore et chanson

C'est sans aucun doute par le folklore et la chanson populaire que s'est décidée la vocation d'ethnologue de Lionel. Les veillées du temps des fêtes, les fêtes de village où l'on danse et l'on chante des chansons traditionnelles le fascinent, l'émerveillent. Il a tout juste quatre ou cinq ans et Marie-Jeanne s'amuse à l'entendre chanter les innombrables couplets des rengaines et des chansons à répondre que Lionel retient par cœur.

Jeune adolescent, Lionel connaît les chanteurs qui attirent les foules au Monument national depuis que Conrad Gauthier, dans les années 20, a organisé les célèbres *Veillées du bon vieux temps* qui ont lancé Armand Gauthier, Alexandre Bédard, Ernest Nantel, Ovila Légaré, le Quatuor Alouette et, bien sûr, La Bolduc.

À quinze ans, curieux, Lionel s'aventure seul dans la métropole, sur la *Main*. Le nombre de distractions qu'offre la grande ville le renverse. Il découvre aussi que, à Montréal, il faut bien souvent non seulement travailler en anglais, mais aussi se distraire en anglais.

Quelques années plus tard, en 1943, au Starland, théâtre burlesque (bilingue en plus!) collé sur le Monument national, Lionel applaudit Olivier Guimond, le père et le fils, Pic Pic (Charlie Ross), Pizzy Wizzy, Juliette Béliveau... Il lui arrive de traverser en face, au Roxy, où Alice Robitaille (Alys

29

Robi) a fait ses débuts. Ce théâtre de variétés présente chaque soir une «belle danseuse exotique venue directement de New York ou de Chicago», comme l'annonce la publicité. L'endroit diffuse un léger parfum de scandale qui séduit les jeunes affranchis de l'époque, mais qui provoque les foudres du clergé.

Heureusement, le Monument national, construit en 1890 avec l'appui entier de la Société Saint-Jean-Baptiste de Montréal, devient le lieu privilégié des amateurs de spectacles français de «qualité supérieure». Gratien Gélinas y fait vivre son personnage de Tit-Coq, et sa revue remplit la salle. C'est sur cette même scène que la troupe de Pierre Dagenais reprend, en 1944, *Marius* et *Fanny*, les deux célèbres œuvres de Marcel Pagnol. C'est aussi au Monument, le 8 septembre 1948, que Lionel assiste au récital de l'inoubliable Édith Piaf et des Compagnons de la chanson qui en sont à leur première visite à Montréal.

Peu à peu, Lionel délaisse les spectacles de variétés au profit d'une autre forme de folklore. Il s'intéresse à la troupe d'Eugène Daignault, immortalisé par son personnage du père Ovide dans *Un homme et son péché*, de Claude-Henri Grignon. Séguin a un faible aussi pour le violoneux Isidore Soucy, reconnu pour ses gigues irlandaises, ses *sets* américains et ses succès sur disques Columbia et Starr, dont *Les fraises et les framboises* et *Prendre un verre de bière, mon minou*.

Comme tout bon amateur de folklore, Lionel a ses chansons préférées, notamment *La femme du roulier*, qui raconte l'aventure houleuse d'une pauvre femme, cherchant nuitamment un mari de taverne en taverne. Les enfants donnent raison au père libertin qui abandonne femme et progéniture pour les alcôves du cabaret, au détriment de la morale conventionnelle. Preuve que la chanson folklorique reste un des rares moyens de libre expression à une époque profondément marquée par les rigueurs religieuses :

Triste Fontaine,
C'est la femme d'un ivrogne.
Mais elle s'en va,
De taverne en taverne,
Chercher son mari
Avec une lanterne.

«Bonsoir hôtesse,
Mon mari est-il ici?»
«Montez en haut
Dans la plus haute chambre.
Vous le trouverez
Dans ses grandes réjouissances.»

«Bonsoir ivrogne,
Pilier du cabaret.
Que fais-tu donc là,
À cette table ronde?
Dépenser ton argent,
Tandis que tes enfants grondent.»

«Pourquoi ma femme?
Pourquoi dis-tu cela?
J'ai encore dans ma poche,
Une bouteille ronde.
Mais je ne crois rien,
que personne ne me gronde.»

Cette pauvre femme,
De là s'en va pleurante.
«Ah! mes chers enfants,
Ayez soin de votre mère.
Car je le vois bien,
Vous n'avez plus de père.»

«Pourquoi ma mère?
Pourquoi dis-tu cela?
Nous savons pourtant
Que nous avons un père.

S'il est débauché,
Nous savons quoi y faire. »

Pour Lionel, le plaisir ne s'arrête pas à chanter ou à écouter ces témoignages du passé, il veut en connaître l'origine, l'auteur. D'instinct, il ébauche déjà des recherches qu'il mènera à terme lorsqu'il possédera son art.

En 1966, on trouve dans *Le romancero des Séguin*, extrait des *Cahiers des dix*, le parcours de *La femme du roulier*. Selon Lionel, cette chanson libertine de la Vieille-France fut recueillie par Sainte-Beuve dans le Berry en 1850. On l'entend toujours en Bretagne, en Champagne, en Franche-Comté, au Poitou, en Vendée et en Saintonge. Et c'est dans le rang Saint-Georges, à Rigaud, que le chercheur de trésors l'a entendue pour la première fois. La chanson folklorique ne s'embarrasse pas de distance.

Dans les années 60, au Théâtre Daunou à Paris, Lionel a la surprise d'entendre *La femme du roulier* chantée par Colette Renard, qui l'a inscrite à son répertoire de chansons gaillardes. Pour cette raison et beaucoup d'autres qui tenaient autant à la femme qu'à la chanteuse, Lionel en fait son interprète préférée. Sa gouaille aussi bien que les accents poétiques réjouissent son cœur : «Gaillarde dans *Taxi-Girl, Mon homme est un guignol, Le plumard, En revenant de Piémont, Hardi Paname* et même *Jack Monnoloy* de Gilles Vigneault, elle devient pathétique, émouvante dans les chagrins d'amour, survoltée dans *Paris canaille*, touchante dans *Irma la douce*. »

Lionel écoute, lit et accumule tout ce qui lui passe sous la main sur les chanteurs, les costumiers et les musiciens de folklore. Certains s'étonnent même du sérieux que Lionel apporte à sa tâche considérant la légèreté du sujet. On ne soupçonne pas alors, Lionel le premier, jusqu'où le mènera cette activité. Pour l'instant, elle lui donne l'occasion de constater la minceur de la documentation qui existe dans ce domaine. Il est vrai que notre folklore nous vient en grande partie de la France, depuis 400 ans, mais l'apport du peuple du Québec relève presque exclusivement de la tradition orale et peu d'ouvrages l'ont consignée.

Cet attrait l'amène à s'intéresser au violon, non vraiment comme violoniste, ce qui était bien plus le rêve de sa mère que le sien, mais en tant qu'objet. Depuis le début de la Nouvelle-France, le violon est l'instrument de prédilection. Lionel veut connaître les secrets de la fabrication artisanale de cet instrument à cordes et rêve de posséder un stra-divarius. C'est cet intérêt qui resurgira, vers 1975, quand il rencontre le luthier artisanal Armand Felx, de Sainte-Marthe, près de Rigaud. Menuisier de métier, parmi les derniers de cette lignée d'artisans, il avait fabriqué son premier violon à l'âge de 15 ans. Le chercheur de trésors convainc alors la direction de l'Université du Québec à Trois-Rivières de réaliser un film ethnographique. Léo Plamondon, du Service de l'audiovisuel de l'UQTR, réussit un petit chef-d'œuvre d'une durée de 45 minutes.

Belle revanche pour un instrument qui n'a pas toujours eu bonne réputation chez les ecclésiastiques, comme Lionel l'avait relevé dans un ouvrage qui remontait aux sombres années cléricales où l'abbé Alexis Mailloux, dans son *Manuel des parents chrétiens*, incitait les fidèles à « s'éloigner des danses et surtout du violon ». L'apôtre de la tempérance ne se contentait pas de combattre le schisme de Chiniquy dans l'Illinois, il désapprouvait toute manifestation « où l'on dansait, où l'on jouait du violon et où l'on faisait des jeux entre personnes de sexes différents ».

Fort heureusement les temps changent! Mgr Félix-Antoine Savard, aucunement bigot, et Marius Barbeau ne partagent pas du tout cette vision lorsqu'ils compilent, sous la direction de Luc Lacoursière, le *Catalogue de la chanson folklorique française* qui compte plus de 80 000 fiches manuscrites. Séguin y apporte sa contribution et entretient par la suite des liens étroits avec Lacoursière. Que ce soit chez l'un ou chez l'autre, les sujets de conversation ne manquent pas entre ces spécialistes qui ont beaucoup en commun.

Dans sa grande maison de pierre et de briques, aux trois petites lucarnes en devanture, avec une rallonge pour son bureau et deux cheminées placées aux extrémités du bâtiment de la Grande-Ligne, Lionel reçoit à l'occasion des musiciens, dont l'accordéoniste Tommy Duchesne. Le temps de le dire, des dizaines de parents et amis se massent dans la cuisine pour entendre le musicien. Après un copieux souper bien arrosé, tout le monde se transporte dans la petite maison de pièce sur pièce (déménagée depuis à Trois-Rivières) où le folkloriste fait *swinguer* la quarantaine d'invités. Huguette et Lionel ont une façon unique d'organiser la fête en y mêlant le meilleur de l'ancien et du moderne.

Le folklore, quel enseignement! Reflet de la vie jadis, on y apprend le quotidien de nos ancêtres, les noms d'anciens métiers, l'origine des mots :

Durant près d'un demi-siècle, racontait Lionel, auberges et maisons rigaudiennes résonneront des rires et des chansons des cageux [ouvriers qui mènent de grandes plates-formes de bois flottantes nommées cages]. Tellement que la langue populaire et le folklore local en resteront fortement marqués. La parlure s'est enrichie du vocabulaire des voyageurs. À Rigaud, on n'est pas en goguette ou sur la brosse mais plutôt en derouine, comme disaient jadis les collecteurs de fourrures de la Rivière-Rouge quand ils allaient trousser l'Amérindienne. Le folklore oral, spécialement la chanson, témoigne également du passage des cageux. Que de complaintes s'inspirent ici de la vie nomade du forestier. *Le retour du voyageur*, par exemple, est l'une des plus belles pièces du romancero québécois :

> Les voyageurs sont arrivés, oh! gai,
> Bien mal chaussés,
> Bien mal vêtus,
> Beau voyageur, d'où viens-tu?

CHAPITRE 4

1940

En 1940, Robert-Lionel Séguin jouit déjà d'une certaine réputation dans les milieux étudiant, littéraire et religieux de sa région. Parce qu'il a des idées et qu'il ne craint pas de les énoncer, bien évidemment, il dérange. Son évolution est trop rapide. On le qualifie d'impertinent, de trouble-fête, on dit ses propos agressifs et son comportement, farfelu. Mais tout ça ne dérange aucunement le chercheur qui se fabrique une carapace contre le ouï-dire, la mesquinerie, la jalousie et la calomnie qu'il aura à subir à maintes reprises dans sa vie.

Cette décennie de 1940 à 1950 sera bien différente de la précédente. Le chômage prend fin : la jeunesse entre dans les usines et dans l'armée. Lionel, lui, se cramponne à la terre pour éviter de porter l'uniforme et le fusil. La vie militaire ne lui dit rien qui vaille.

Dès qu'il en a le loisir, Lionel est en quête de connaissances. Il veut tout savoir. Il fréquente le monde universitaire, intellectuel et politique. Non seulement veut-il apprendre de ce monde, il veut aussi pouvoir y participer. Il trouve à la Bibliothèque Saint-Sulpice, rue Saint-Denis à Montréal, tout ce qu'il faut pour combler son avidité de savoir. Ce centre culturel, devenu par la suite la Bibliothèque nationale, est très vivant. Enclavé en plein Quartier latin, il présente tour à tour expositions de peinture, soirées de poésie et théâtre. Les petits salons du sous-sol accueillent plusieurs groupes, dont le Cercle Ville-Marie et la Société historique de Montréal. Lionel devient membre de cette association d'historiens où sa jeunesse ne l'empêche pas d'émettre ses opinions devant ses pairs qui reconnaissent sa valeur. Lorsque les sulpiciens, à bout de ressources, n'avaient plus été en mesure de soutenir leur établissement, on favorisa l'installation permanente du Conservatoire dans ses murs. Malgré tous ces efforts à faire revivre la Bibliothèque Saint-Sulpice, qui a vu le jour en 1910, elle ferme ses portes en 1931. C'est la crise qui sévit. Elle est de nouveau ouverte au public en 1944. L'institution devient bibliothèque d'État en 1966, et finalement la Bibliothèque nationale du Québec le 1er janvier 1968. C'est dans ces lieux que Lionel a passé des heures à feuilleter la documentation, à faire des recherches et à questionner ceux qui les fréquentaient.

Son circuit de connaissances le mène aussi à la Bibliothèque municipale de la rue Sherbrooke, face au parc Lafontaine, en passant par quelques librairies, Chez Déom et Pony, Ducharme et Henri Tranquille, où Lionel peut s'approvisionner en livres français importés et en livres d'occasion.

C'est à cette époque que Lionel entreprend de collectionner des œuvres de peintres de chez nous. Même sans le sou, il réussit par son flair, presque par habileté, à s'approprier un Suzor-Côté, un Clarence Gagnon, un Rodolphe Duguay, un Léo Ayotte et même un Ozias Leduc, qui ont tous représenté des scènes rurales traditionnelles et pittoresques du Québec. Parfois, le hasard fait bien les choses. Un jour, Lionel reçoit une lettre d'Anna Laberge, dont le nom est porté par le Centre hospitalier de Châteauguay. Elle lui demande de faire une recherche sur un baptême qui a eu lieu en 1726, ce qu'il fait avec empressement. Par reconnaissance ou par encouragement pour son œuvre, elle lui offre un tableau de Marc-Aurèle Fortin ! Séguin fut le premier connaisseur à encourager un peintre de sa région, Marcel Bourbonnais, qui avait lui aussi choisi de traduire en couleurs notre vécu quotidien. L'artiste a pendant un moment délaissé le figuratif pour le contemporain, mais il est depuis revenu à la source, comme le prouve éloquemment son œuvre actuelle. Sa sincérité autant que sa sensibilité lui valent de figurer parmi nos grands peintres.

Un témoin de ce temps-là, l'écrivain Ernest Pallascio-Morin, journaliste au *Petit Journal,* fréquente comme Lionel le Quartier latin jusqu'en 1942, lorsqu'il s'enrôle dans la marine, et dès son retour à la vie civile, il se souvient du jeune Séguin qui cherchait à faire parler le passé par ses recherches d'objets anciens. Ils se croisent aux soirées organisées à la Bibliothèque Saint-Sulpice, où se donnent des conférences, notamment celle de Léon Vallas, qui avait envoûté le public, émerveillé, avec un texte animé sur la musique du temps de Molière.

Ils assistent tous les deux à l'émission RSVP, animée par Fernand Leduc et diffusée par Radio-Canada directement de la Bibliothèque Saint-Sulpice le jour où Louis Francœur avait fait une démonstration époustouflante de sa mémoire en répondant avec moult détails sur des faits concernant Bonaparte. Sa performance lui mérita les applaudissements de l'auditoire. Lionel manifestait le désir de devenir également journaliste. Le monde de la communication le fascinait.

Dans le calme et parfois la solitude des salles de lecture de nos bibliothèques, Lionel bêche, songe, découvre le passé. Il a lu quelque part que ne pas savoir ce qui nous est arrivé avant notre naissance, c'est rester toujours enfant; lui, veut devenir adulte, imprégné de savoir. L'inconnu ne lui fait pas peur, il rêve d'horizons nouveaux. Il visite aussi les musées, véritables lieux de béatitude pour lui. Il n'arrête pas de consigner ses sujets de découvertes, ses réflexions. Tout ce qu'il voit, ce qu'il absorbe lui fournit une matière qu'il s'empresse de faire partager dans de nombreux articles et, plus tard, des livres où le journaliste ou l'écrivain qu'il aurait pu devenir s'efface devant l'ethnologue et son œuvre toujours en évolution.

Le monde de l'information l'intéresse. En cette époque d'or de la radio, 1945, grâce à son réseau Quebec Regional Network, Radio-Canada étend ses racines de Montréal à Québec et à Chicoutimi. Lionel est friand des causeries radiophoniques où circulent les idées du moment, tant celles de nombreux intellectuels et religieux, comme le chanoine Lionel Groulx, les penseurs de l'Action libérale nationale que celles du père Marcel-Marie Desmarais, qui pose à ses auditeurs la question « L'amour est-il un péché ? ».

Sensible au fait français, Lionel s'insurge toutefois contre la station de radio CKAC qui diffuse 34 % de ses émissions en langue anglaise. On répond à sa lettre de protestation en expliquant que les anglophones représentent pour les annonceurs un public cible privilégié. Plus de 70 % des foyers ont un appareil radiophonique, et rares sont les anglophones, plus riches, qui n'en possèdent pas.

Peut-on dire que Lionel est contestataire et empêcheur de tourner en rond ? Une chose est certaine, il remet en cause bien des idées reçues. Ce n'est pas à lui qu'on fera prendre des vessies pour des lanternes. Loin de là. En apprenant que Camillien Houde est arrêté et interné sans procès dans un camp isolé près de Petawawa, en pleine forêt, en Ontario, Lionel peste contre nos colonisateurs d'ici et d'ailleurs qui ont arrêté le maire de Montréal au début de la Seconde Guerre mondiale. Ce dernier avait conseillé au peuple québécois de refuser de remplir la carte d'enregistrement pour le recrutement militaire obligatoire. Camillien Houde sortit du camp d'internement de Fredericton en

1944, sans que personne le sache. Il fallait éviter que les gens descendent dans la rue pour lui faire la fête. «Voulez-vous bien me dire pourquoi il faudrait aller se battre pour les autres? Occupons-nous de nos propres affaires», clame Séguin aux respectables membres conformistes à tous crins de la Société historique de Rigaud.

Appelé à faire son service militaire, en 1941, Lionel en est exempté pour la bonne raison qu'il travaille sur la terre de Raoul Servant, célibataire, dans la Grande-Ligne, à Rigaud. Durant la guerre, on permettait à un cultivateur d'avoir un employé à son service. C'est là qu'il apprit vraiment le métier de fermier, jusqu'en 1945. Traire les vaches, nourrir les poules et les cochons, faire les foins, mettre en silo, tracer un sillon avec une charrue tirée par un cheval n'ont plus de secrets pour Lionel, le paysan basané. Tôt chaque matin, il quitte la maison du village, à pied ou à bicyclette, pour aller prêter main-forte à Raoul, l'oncle de celle qui deviendra son épouse en 1957, Huguette Servant.

Mais dès qu'il est rentré, sa vieille machine à écrire l'attend. Lionel passe la plupart de ses temps libres devant son secrétaire à panneau rabattable. Marie-Jeanne souhaite-rait qu'il se lance dans l'écriture de radioromans si populaires à l'époque. Mais ce n'est pas cela que Lionel ambitionne de faire. Il aime bien travailler dans l'ombre et pousser davantage son action vers le réel plutôt que vers le fictif.

Lionel consacre de plus en plus d'heures à ses recherches et à l'achat d'antiquités : mobilier, poterie, outils, vaisselle, lingerie, costumes et beaucoup de catalognes et courte-pointes du Québec ancien. Homme de terroir, il est aussi homme de terrain.

Il s'intéresse de près à la grande question qui agite le Québec à cette époque : celle de la conscription pour service obligatoire outre-mer que les libéraux, en 1939, promettaient de ne pas imposer, promesse dont ils se font libérer en 1942, grâce au plébiscite. Ces agissements entraîneront la défaite d'Adélard Godbout, en 1944. Devant ces tartuferies, Lionel décide d'afficher publiquement ses couleurs en faisant de la *cabale* pour Maxime Raymond et André Laurendeau, fondateurs du Bloc populaire canadien. On l'aperçoit à Montréal lors d'assemblées houleuses où l'on retrouve sur la même tribune Jean Drapeau, Michel Chartrand, Paul Gouin, Gérard Filion, Georges Pelletier, tous d'ardents nationalistes québécois, qui avaient cru un moment que l'indépendance n'était pas nécessaire pour la survie d'un Québec autonome. Lionel désenchantera bien vite de cette tentative infructueuse. Le Bloc fit élire seulement quatre députés et n'eut que peu d'influence à Ottawa.

Le politicien en herbe n'est pas à l'aise dans ce milieu où il faut donner des coups pour survivre. Mais il voit d'un bon œil le retour de Maurice Duplessis à la tête de l'Union nationale et du gouvernement du Québec en 1944 qui, porté par une vague anti-anglaise, demeurera au pouvoir quinze ans durant. Vis-à-vis du pouvoir central, il se pose en défenseur des droits du Québec et de l'autonomie provinciale bafouée par Ottawa à la faveur des mesures de guerre. Séguin écrit à ce moment-là que de nombreux Canadiens français condamnent l'immigration massive, étant le fruit d'une politique canadienne-anglaise visant à contrebalancer les conséquences du taux élevé de croissance chez les francophones et à assurer la prééminence de la population anglaise.

Malgré la guerre, son travail aux champs et ses recherches interminables, Lionel s'informe, il est un fidèle lecteur du *Devoir*, et se cultive en lisant tout ce qui lui tombe sous la main : *L'étranger*, de Camus, *Les mouches*, de Sartre, *Bonheur d'occasion*, de Gabrielle Roy, *Les songes en équilibre*, d'Anne Hébert, et des ouvrages de Roger Lemelin, Yves Thériault, Rina Lasnier et Félix Leclerc.

La généalogie l'intéresse de plus en plus. Il accumule, avec un ami, Yves Quesnel, membre actif de différentes sociétés généalogiques, une imposante documentation qu'ils mettent à la disposition du public. Lentement mais de plus en plus sûrement, Lionel se taille une place importante au sein de la Société généalogique canadienne-française en y présentant plusieurs mémoires sur les origines de nos premières familles et sur celles des Séguin. Certains de ses travaux paraissent dans *L'Écho de Bourget*, notamment sur la seigneurie de Rigaud et sur l'esclavage dans la presqu'île de Vaudreuil-Soulanges, et un poème en prose, «Ô ma presqu'île», composé d'un jet à l'âge de 20 ans et publié en 1947 après quelques corrections de l'auteur :

Je t'aime...

JE T'AIME Ô MA PRESQU'ÎLE, à l'époque de tes ruisseaux délivrés et de tes terres rajeunies
quand au tirant des montées, les ornières débarrassées de leur suaire de glace commencent à louvoyer entre les vieux bouleaux rabougris que le nombre des ans éclaircit et fauche aussi ras qu'une prairie de luzerne lorsque les rigoles de trécarrés se gonflent et deviennent des flaques qui giclent sous les sabots pesants des percherons avec un bruit qui claque comme la langue des loups quand elle sape l'eau des criques
durant l'équinoxe alors que les vents viennent taquiner les grandes aiguilles de tes pins à l'heure de contentement où le tableau de la montagne noire est rougi par les feux des abatis qui dansent dans les clairières toutes proches
alors que ta flore est tirée timidement de sa léthargie hivernale et que la marmotte traîne sa longue robe rousse au flanc des coulées
durant le grand caliberdas des batraciens criards qui promènent leurs petits yeux de jade entre les massettes sèches au temps où comme des carapaces de chéloniens paresseux, les cayes émergent de tes eaux verdâtres pour se grapper jusqu'à la bordure plate et dénudée de tes battures.

Je t'aime...

JE T'AIME, Ô MA PRESQU'ÎLE, lorsque le soc déchire ta chair et fait paraître tes coteaux comme des proues de navires sur une mer aux houles longues et calmes
quand toute une symphonie de couleurs décore la grande famille de tes arbres et transforme la ligne laurentienne en taches multicolores allant toujours aussi belle vers les confins du nord où nul humain ne se posera sur elle
lorsque je vois tes longues files de clôtures de perches entrelacées se hâter en chantant vers un horizon qu'elles n'atteignent jamais
à l'heure crépusculaire où l'aïeule « donatrice » se penche sur un tertre de l'enclos des disparus continuant toujours son interminable litanie d'*Ave* pour celui qui a aidé à faire la terre
alors que le terrien prévoyant encercle sa demeure du ruban jaune des renchaussements
quand les bourgaux agacent les bêtes jusque dans leurs ouaches et qu'effrayé un échassier solitaire s'échappe des clajeux en traînant péniblement ses béquilles
lorsque la flèche oblique des brimbales se perd dans un ciel de cendre et de boucane et que comme l'haleine qu'un corps humain laisserait sur la surface lisse d'une glace le dernier frimas blanchit les croisillons de la grande croix de fer qui couronne les crêtes effritées.

Je t'aime...

JE T'AIME, Ô MA PRESQU'ÎLE, glèbe laurentienne limitrophe au pays ontarien
Je t'aime, parce que les miens t'ont découverte, moulée, domptée, asservie
parce que tu as nourri des générations qui ont continué à mettre au monde des gars et des filles qui sont les défenseurs de la Foi, de la langue et de la race.
Ta végétation qui naît avec chaque printemps et meurt avec chaque automne a vu défiler l'inévitable cortège du voile blanc des baptêmes et du drap noir des cercueils.

Sol fécondé par le sang des miens, je t'aime !
Lorsque le Créateur coupera le fil de mes jours, je voudrais que s'ouvrent tes chairs pour y recevoir ma froide dépouille.
Garde mes ossements, terre sacrée, car je sais que tu es le meilleur des cimetières.

Durant cette période fertile, de 1940 à 1950, Séguin publie dans *La Ronde d'office* (Montréal) «La légende du diable», qui lui vaudra, en 1953, le prix littéraire de l'Association de la langue française du Canada. «Le versant nord de la montagne de Rigaud est crevé de champs de cailloux qui ressemblent étrangement à un sol labouré. Ce phénomène géologique, tout frangé de conifères, a inspiré la terrifiante légende de la *Pièce des guérets* ou du *Champ du diable*, un des plus beaux récits de la littérature orale du Québec. Selon les croyances populaires, un censitaire, qui labourait le dimanche, se serait moqué de ses voisins se rendant à la messe. Le diable aurait apparu dans une traînée de soufre pour changer la terre en pierre et pour y engloutir le laboureur, son attelage de bœufs et sa charrue. C'est ainsi que le laboureur sera tantôt un blasphémateur invétéré, tantôt un solitaire rébarbatif. Mais toutes les versions, sauf deux, s'accordent sur un point : nul ne connaît les origines de l'étrange personnage...»

Dans le voisinage de Notre-Dame-de-Lourdes, à Rigaud, un large amoncellement de pierres usées, arrondies, disposées avec quelque symétrie, continue d'intriguer encore aujourd'hui bon nombre de pèlerins et de touristes.

Ce texte de «La légende du diable» paraît également dans l'hebdomadaire *La Presqu'île*, en 1953, la *Revue de l'Université Laval*, en 1954, et dans *Les cahiers des dix*, en 1965. Mais on retrouve aussi les écrits de Séguin dans *Vie française* (Québec), dans la *Revue d'histoire de l'Amérique française* (Montréal), dans le *Bulletin des recherches historiques* (Lévis), dans *Arts et traditions populaires* (Paris), dans

L'Oise libérée (Beauvais, France), dans la *Revue française d'histoire d'outre-mer* (Paris), dans *L'Action nationale* (Montréal), dans *Culture française* (Paris) et même dans *Le Carillon*, d'Hawkesbury en Ontario. Cette somme de travail ne rapporte que quelques maigres chèques et souvent même un simple merci. Malgré tout, dès qu'il a quelques dollars en poche, il n'a qu'un seul but : acheter des antiquités pour sauver notre patrimoine qui fait l'envie des étrangers, des Américains surtout.

Petits revenus mais pas de chômage pour Lionel Séguin. Il est notamment archiviste à la Société historique de Rigaud, qu'il quitte sur un désaccord lorsqu'il s'aperçoit que les registres consignent que tous sans exception avaient voté une motion de félicitations en l'honneur d'une fête quelconque pour le roi George VI. Outré, Lionel, à la réunion suivante, s'en prend à ses pairs et surtout au supérieur du collège Bourget, l'abbé Alphonse Gauthier, avec qui il avait déjà eu des démêlés. Celui-ci, qui venait de l'Ontario, était plus porté que les Québécois vers la monarchie ; cela déplaisait *souverainement* à Séguin. Ce fut la dernière fois qu'il participa aux réunions de la Société, en s'assurant que sa dissidence soit bien notée au procès-verbal. Lionel n'est pas homme à laisser passer ce genre d'incident sans rouspéter.

CHAPITRE 5

L'après-guerre

À l'évidence, l'après-guerre marque toute une étape dans la vie des gens et de Séguin, qui cherche de nouveaux horizons. Il cesse de travailler aux champs pour se tourner un certain temps vers la construction pour des salaires de crève-faim. On répète sans cesse à Lionel qu'il devrait faire valoir son talent et sa compétence auprès des autorités gouvernementales. «Va donc voir le député Alphide Sabourin.» «Il ne pourra rien faire, il est dans l'opposition», réplique-t-il.

La période 1945-1959 est fortement dominée par la personnalité du premier ministre Maurice Duplessis. La croissance économique est marquée par une hausse substantielle des investissements et de la production. Quant à l'éducation et à la culture, les intellectuels ont plus de difficulté à se trouver des emplois à leur mesure, à moins d'avoir des relations dans les hautes sphères. Les temps ont-ils changé? Lionel se cherche une niche, mais il se refuse à faire de l'à-plat-ventrisme devant ceux qui ont de l'influence, les «patronneux», auprès du gouvernement en place.

Il finit par décrocher un emploi, en 1946, au ministère de la Justice, comme archiviste du Québec. Ses bureaux sont situés dans les murs d'une ancienne prison avec portes de fer au vieux palais de justice de la rue Notre-Dame, juste à côté de l'hôtel de ville de Montréal. C'est loin d'être une période heureuse; il doit se contenter d'un petit pupitre éreinté au milieu d'une vingtaine de collègues; il doit aussi se soumettre aux ordres et aux remontrances du grand chef, Jean-Jacques Lefebvre, dont le style agressif, autoritaire et sournois le fait bondir.

Lefebvre lui empoisonne l'existence : il lui reproche de se livrer à des recherches personnelles et de faire des appels téléphoniques privés durant ses heures de travail. Quand Séguin s'absente de son bureau, son chef fouille ses tiroirs et classeurs et consigne tout élément qui peut entacher le dossier de Lionel. Il en ajoute même au besoin!

Séguin se heurte quotidiennement à la jalousie, la prétention, l'envie et la colère de Lefebvre. Jusqu'à ce qu'une goutte d'eau fasse déborder le vase le jour où Lionel ne trouva pas dans sa serviette un dossier important sur la généalogie de sa famille. Depuis des mois, il cherchait à prouver que ses ancêtres avaient participé au mouvement insurrectionnel, ce qui avait provoqué les railleries de son supérieur. Le lendemain, Lionel retrouve mystérieusement dans sa poubelle l'une des premières pages de son arbre généalogique :

Antoine Séguin est l'une des principales figures de toute ma généalogie. Par son mariage avec Barbe Chénier, ce dernier devient l'oncle du docteur Jean-Olivier Chénier, le grand patriote, le commandant des forces insurgées à la bataille du jeudi 14 décembre 1837, le héros de Saint-Eustache et l'une des plus grandes figures de toute notre histoire nationale. Chacun connaît le rôle épique de Chénier et il serait inutile de charger ici le texte de ce présent travail d'une biographie de cet illustre personnage.

L'arrivée de Micheline Chartrand à la direction des archives judiciaires, en remplacement du roitelet Lefebvre, vient, il était temps! agrémenter le quotidien de Lionel.

Il s'affaire, dès qu'il en trouve le temps, à décrocher d'autres diplômes, et à donner des cours, notamment d'ethnographie rurale à l'École d'agriculture de Sainte-Martine, pour pouvoir faire l'achat d'antiquités et de livres. Toutes ces occupations extérieures ne l'empêchent pas de dresser l'inventaire du milieu matériel de la région montréalaise sous le régime français. Ses 30 000 fiches rendront de précieux services aux chercheurs et aux travailleurs de l'histoire qui peuvent compter sur le dévouement et la vaste culture de Séguin, et sur la minutie de ses relevés faits à partir des documents judiciaires et des registres paroissiaux. Durant ces années d'après-guerre, Séguin l'increvable travaille aussi au dépouillement d'actes notariés pour le compte du Musée du Québec. De plus, au cours de ses visites chez les antiquaires, tel Jean Lacasse, et collectionneurs, Lionel accumulera constamment des documents qui s'ajouteront à sa riche collection et à sa bibliothèque, devenue sans doute la plus complète du genre au pays.

Micheline Chartrand, qui fut pour Séguin une collaboratrice efficace, douée, une conseillère avertie et une bonne amie, parle avec émotion de son collègue et de son concitoyen de Rigaud. «Quel homme ce sacré Robert-Lionel! Il nous arrivait souvent de partager l'heure du lunch. Nous mangions en vitesse, Lionel n'aimant pas perdre un seul instant. Parfois on arpentait ensemble les rues du Vieux-Montréal, Saint-Paul, Saint-Gabriel, Saint-Vincent, dans le but de trouver quelques pièces qui auraient pu lui échapper ou quelques détails d'architecture.»

Personne ne pouvait mieux connaître le Vieux-Montréal et le Québec que Lionel, selon Micheline Chartrand. Parfois, Louise Millette, qui travaillait avec eux, les accompagnait place Jacques-Cartier, au Marché Bonsecours, au château Ramezay ou à Notre-Dame-de-Bonsecours, la vieille chapelle de Marguerite Bourgeoys, où les colons et les marins venaient implorer la Vierge Marie et où Lionel aimait se recueillir.

Croyez-le ou non, conclut Micheline Chartrand, un gars fier et solide comme Robert-Lionel avait besoin d'être encouragé, ce qui n'était pas monnaie courante au gouvernement. Je l'ai vu travailler jusqu'à l'épuisement. Il allait refaire ses forces dans son village et revenait, tôt le lendemain matin, pour reprendre le collier et aller souvent à l'encontre du courant, ce qui était l'enfer. Certains collègues ne pouvaient tout simplement pas le suivre. Quand on est né avant son temps, c'est toujours comme ça. La vie de pionnier, de précurseur est loin d'être rose.

Depuis ses démêlés avec Lefebvre, Lionel sollicitait une affectation dans un autre ministère. Il apprit avec joie qu'il travaillerait dorénavant au ministère des Affaires culturelles, toujours dans le Vieux-Montréal. Là, au moins, il se sent plus à son aise et dans son élément. On reconnaît davantage ses capacités et sa compétence, même s'il doit se plier aux exigences inhérentes à ce milieu de travail. Mais Lionel préfère ignorer les ennuis bureaucratiques et se livrer tout entier à sa tâche de chercheur.

Le cheminement de Robert-Lionel est exemplaire de la prise de conscience qui est intervenue au Québec appelé à se définir et à changer de statut : « Homme simple, modeste, lucide mais sensible, accueillant, à l'humour narquois au coin du sourire et de l'œil, d'esprit libre et fin, sûr de ses origines, de sa place, des valeurs de sa culture, c'est tout aussi exemplairement qu'il poursuit son combat contre une image faussée de notre passé et pour faire de l'ethnologie québécoise une contribution à l'universel. Au passage, il me plaît de noter que sa démarche n'a pas toujours eu l'heur de plaire à la position et au point de vue conformistes et académiques », rapporte Gaston Miron dans *La vie quotidienne au Québec*, éditée par les Presses de l'Université du Québec, qui souligne que bien des gens sont redevables à Séguin de ses travaux, des nombreuses pistes de recherche qu'il a ouvertes, de ses conseils désintéressés, de l'accueil chaleureux qu'il réserve à ceux qui visitent son impressionnante collection de Rigaud.

À l'époque de la *honte de soi*, selon Gaston Miron, on s'empressait de se défaire des vieux objets, des meubles usés, bref de l'héritage, pour les remplacer par des modernes et du chromé. On recouvrait de *prélarts*, tapisseries, peinture les matériaux d'origine, de peur de passer pour des « habitants ». Pendant ce temps-là, des camions chargés à bloc d'objets de notre patrimoine prenaient le chemin de l'étranger. On écumait les campagnes, sans que les pouvoirs publics s'en émeuvent. Ce fut l'un des grands combats menés par Séguin, qui prêcha souvent dans le désert. Partout où il se trouve, au Musée du Québec, aux Archives judiciaires, aux Affaires culturelles, avec des hommes comme Jacques Rousseau et Jean-Marie Gauvreau, à l'Institut des arts appliqués du Québec (École du meuble) et son petit musée expérimental de la rue Saint-Denis, il innove, inventorie, consigne sur des fiches notre civilisation traditionnelle. On l'engagera, plus tard, comme consultant auprès de l'Office national du film. Il deviendra aussi chargé de recherche sur le milieu matériel québécois pour le Musée national du Canada. À l'Université Laval, il sera chargé de cours d'ethnologie et de folklore matériel.

Pour bien comprendre l'œuvre de Séguin, il faut prendre le temps de parcourir ses nombreux écrits où il ne cache ni ses sentiments ni son nationalisme de bon aloi. « L'habitant frontalier est davantage conscient de son identité, de sa vocation, de sa mission. Posté à un jet de pierre ou presque de l'Ontario, le Rigaudien saisira, d'instinct, des réalités qui échapperont à la plupart des autres habitants de l'intérieur du pays. Il comprendra, par exemple, que ce ne sont pas les frontières géographiques ou politiques qui séparent les hommes, mais plutôt les frontières linguistiques et culturelles. À vingt ou trente milles à l'ouest de Rigaud, je me sens dépaysé, lointain, étranger, alors que je suis chez moi à La Rochelle, Bordeaux ou Lausanne, même si ces villes sont situées à des milliers de kilomètres de mon patelin. »

Bien ancré sur ses terres, Lionel n'a jamais caché son attachement à son lieu natal :

L'histoire de Rigaud, c'est bien plus que l'arrivée du premier desservant, la construction de la première église, l'érection civique de la paroisse, du village, puis de la ville, la fondation du Collège et du Couvent, l'inauguration du Sanctuaire de Lourdes, l'ouverture de la première école, que sais-je encore ? C'est surtout et avant tout l'histoire de l'homme, de ses joies, de ses peines, de ses aspirations, de ses convoitises, de ses espoirs, de ses déceptions, de ses misères, de ses réussites, de ses qualités et de ses défauts. Et chez cet homme, ce qui m'intéresse, c'est sa façon de vivre, de travailler, d'aimer, de souffrir, de s'amuser et, disons-le, de pécher.

En 1941, l'abbé Élie-J. Auclair publie une monographie paroissiale de Rigaud dans laquelle il souligne que la population de l'endroit compte, en 1825, des résidants, des hivernants et des voyageurs. Cette population se chiffre alors à quelque 2371 âmes, groupées en 365 familles. Et l'auteur d'enchaîner : « Les mœurs à cette époque étaient toutes simples, à Rigaud, comme ailleurs. On vivait sans prétention, on travaillait dur, joyeusement quand même et chrétiennement sous l'œil de Dieu. » C'est à croire. Sûrement qu'on y trimait dur, mais pour le reste...

Cela confirme bien les propos de l'ami Séguin. Quant à nos aïeux :

Dorénavant, tous ceux qui tiendront cabaret et qui vendront vin, eau-de-vie et autres boissons à petites mesures, seront tenus de pendre à leur porte une enseigne ou un tableau avec bouchon de verdure, sans tableau à leur choix, faits de pin et d'épinette ou autre branchage de durée qui conserve sa verdure en hiver.

Qu'on accroche « bouchon » où l'on voudra, hommes et femmes de Rigaud ne vivront pas tous à l'enseigne de la prière et de la mortification. Surtout quand ils entreprennent la tournée des onze tavernes précitées. Profondément humains, ces hommes et ces femmes travaillent dur, font bonne chère, lèvent le coude à leur tour et ne dédaignent pas la bagatelle. Ce sont des êtres sensibles, intelligents, normaux, dans toute l'acception du mot.

Comme l'écrit si justement Clément Marchand, ce grand poète du terroir : « J'aime savoir que les ancêtres étaient bien plus de vrais gaillards qu'un ramassis vivant de vertus artificielles, souvent imaginées par de pseudo-historiens. »

Les parents de Robert-Lionel :
Omer et Marie-Jeanne Séguin.

La maison où Robert-Lionel est né à Rigaud.

Marie-Jeanne et Lionel
à six mois.

Lionel à trois ans.

Lionel dans son parc.

Lionel avec son traîneau.
Il a deux ans.

Lionel en culottes
« breeches ». C'était la
grande mode.

En servant de messe...
Lionel avait-il la vocation ?

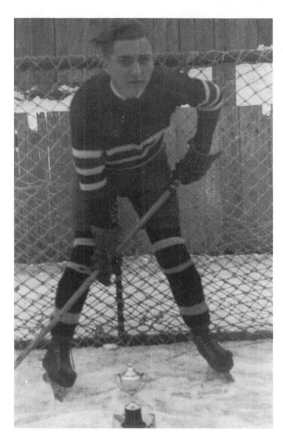

Lionel était un joueur de hockey redoutable.

Lionel occupe le troisième rang de la première rangée, en partant de la gauche. Vers 1940, l'équipe de Rigaud est invincible.

Lionel et Huguette à la cabane à sucre. Il a 26 ans, elle en a 16. Un grand amour est né.

L'oncle Victor Séguin et Marie-Jeanne Séguin (à gauche) et Corinne et Émile Servant entourent les mariés, Huguette et Lionel, en ce 26 octobre 1957 à Rigaud. C'est le vicaire Maurice Cholette qui a béni leur union.
(Photo Simon-Pierre Tremblay)

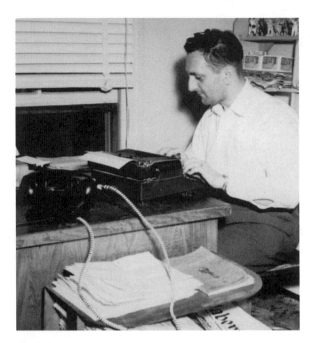

Lionel à son bureau
de *La Presqu'île* à
Dorion.

L'équipe de *La Presqu'île* : Denise William, Georgette Dugré, Pauline
Brouillard, Cécile Gagné, Huguette Brouillard, Huguette Séguin. À
l'arrière, Norman Hart, Jacqueline Tremblay, Marcel Bourbonnais,
Fernand Robidoux, R. Matthews, Roland Brouillard, Marcel
Brouillard, Pierrette Brouillard, Lucien Pépin, Jean-Marc Gagné,
Georges Roy, Lucille Bourbonnais et Robert-Lionel Séguin.

(Photo Simon-Pierre Tremblay)

Lionel signe le livre d'or de la ville de Dorion, lors du cinquième anniversaire du journal *La Presqu'île*, en présence de Marcel Brouillard, du curé Léonidas Béland, de Roland Brouillard, du secrétaire de la municipalité, Arthur Caron, et du maire, Léo-Paul Leroux.

Lionel explique à deux jeunes visiteurs comment on fabrique un journal.

Une trentaine d'invités sont venus fêter chez Huguette et Lionel Séguin dans l'une de leurs deux maisons de pièce sur pièce reflétant un intérieur québécois traditionnel. *(Photo Simon-Pierre Tremblay)*

Maison paysanne datant du milieu du 19e siècle maintenant déménagée de Rigaud à Trois-Rivières.

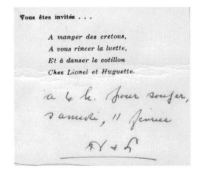

Vous êtes invités . . .

A manger des cretons,
A vous rincer la luette,
Et à danser le cotillon
Chez Lionel et Huguette.

En 1979, Lionel incarne,
avec des pièces de sa
collection, un des nombreux
personnages illustrés par
Henri Julien.

(Photo Simon-Pierre Tremblay)

Marie-Jeanne avec son fils
bien-aimé, le temps d'une
valse, à Rigaud.

(Photo Simon-Pierre Tremblay)

Lionel initie la jeune Lise Brouillard, en 1964, à l'ethnologie. D'abord toucher, sentir et aimer les objets et ensuite les classer et les décrire minutieusement.
(Photo Denis Brodeur)

Le domaine de Robert-Lionel Séguin à Rigaud : on voit quelques-uns des bâtiments où étaient entreposés les 35 000 objets de sa collection.

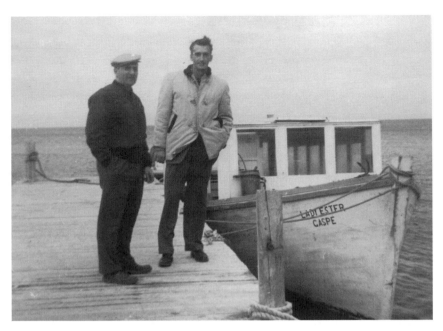

Lionel à Percé (Gaspésie) en 1958, et le peintre Marcel Bourbonnais, alors député fédéral de Vaudreuil-Soulanges (1958-1963).

Une partie de dames, en 1979, entre Alfred Desjardins et Lionel, tous deux habillés « à l'ancienne ». *(Photo Simon-Pierre Tremblay)*

Huguette et Lionel en compagnie de leurs mères, Marie-Jeanne Séguin et Corinne Servant, au Moulin Rouge, à Paris, en 1962.

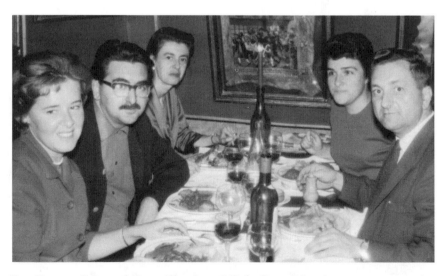

Pauline et Marcel Brouillard et Micheline Séguin en compagnie d'Huguette et de Lionel à la Rôtisserie de l'Abbaye à Saint-Germain-des-Prés, en 1964.

(Photo Henri Glaeser)

Lionel au Musée régional de Vaudreuil-Soulanges en compagnie du conservateur de l'établissement, Lucien Thériault (1959-1979).

Pauline Julien assiste, en 1969, à l'exposition d'art populaire organisée par Robert-Lionel Séguin au Centre d'art du Mont-Royal. *(Archives Échos-Vedettes)*

De joyeuses festivités au Carnaval de Québec avec le photographe Simon-Pierre Tremblay, Huguette Séguin, le folkloriste Jacques Labrecque, Réjeanne Carrière et Lionel.

Gérard Malchelosse, président de la librairie Ducharme, Louis-Philippe Audet, secrétaire de la Commission royale d'enquête sur l'enseignement, et Léon Trépanier, historien, s'entretiennent avec Robert-Lionel Séguin, lors du lancement de *La sorcellerie au Canada français*, en juillet 1961. *(Photo Armour Landry)*

Robert-Lionel Séguin (à gauche) et l'écrivain Jacques Godbout, à ses côtés, reçoivent des mains de Roland Michener le Prix du Gouverneur général, à Ottawa, en 1968. *(Photo Presse Canadienne)*

Lionel, aux Îles-de-la-Madeleine, en 1976, fait l'acquisition de cette embarcation servant à la chasse au loup marin.

Lionel, debout, en compagnie de Marcel Achard, de l'Académie française. *(Photo Max Micol)*

Lionel est tout heureux de sa dernière acquisition : un tombereau servant aux menus travaux de la ferme.

Avec l'aide de Simone et Armand Poirier, Lionel, à droite, s'occupe du chargement d'une charrette à foin servant de mangeoire aux animaux.

CHAPITRE 6

La Presqu'île

Ma première rencontre avec Robert-Lionel Séguin a eu lieu le 24 juin 1950, chez lui. J'avais demandé à le rencontrer sans savoir précisément ce que j'attendais de lui. En fait, j'avais besoin de ses lumières, de ses conseils pour publier dans Vaudreuil-Soulanges un annuaire commercial, comme il en existait un dans le comté voisin. Je n'ai pas été long à comprendre que je m'étais adressé à la bonne personne. «Cet annuaire de Beauharnois est trop commercial, me dit Séguin. Je pourrais vous écrire une histoire abrégée sur chacune des municipalités du comté : Saint-Clet, Sainte-Justine-de-Newton, Saint-Lazare, Saint-Polycarpe. Il y en a dix dans Vaudreuil et autant dans Soulanges. Vous pourriez illustrer ces pages avec les photos de toutes les églises, et pourquoi pas des curés, qui seraient portés à vous faire de la propagande.»

L'affaire fut vite entendue. Restait quand même à régler la question des sous : «Ce n'est pas important le prix. Ne vous tracassez pas avec cela. Ce qui compte avant tout, c'est que vous vous mettiez au travail tout de suite. Il vous faudra faire le tour du comté pour vendre de la publicité aux marchands. De mon côté, je vous assure de ma pleine collaboration. Repassez me voir avant les fêtes. Tout sera terminé.»

Cet accueil chaleureux, ces conseils judicieux et cet encouragement spontané me donnèrent des ailes. J'avais tout juste 19 ans et il m'avait accordé l'attention nécessaire et avait pris ma demande au sérieux. Pour moi, ce respect de l'autre a toujours été une des caractéristiques appréciables de Lionel. J'allais avoir l'occasion de confirmer cette qualité et bien d'autres tout au long de notre amitié qui commença ce jour-là, dans nos rencontres chez lui ou à Dorion, puis à notre chalet de la baie de Rigaud. Durant la belle saison, Lionel y venait plusieurs fois par semaine. On y jouait aux cartes fréquemment avec les amis, Françoise et Robert Séguin et les autres.

La veille de Noël de cette année 1950, je sonnai donc à la porte de Lionel, qui avait terminé la petite histoire des municipalités du comté qu'il avait nommée *En feuilletant les annales de la presqu'île*. Un travail minutieux et très bien ficelé.

EN FEUILLETANT LES ANNALES DE LA PRESQU'ÎLE
par Robert-Lionel Séguin

L'histoire de la presqu'île de Vaudreuil et de Soulanges servirait facilement de matière à plusieurs volumes. Aussi les quelques pages qui suivent ne pourront que trop sommairement rappeler les principaux épisodes du peuplement de cette région.

La genèse des annales canadiennes est écrite par quatre voies d'eau : le Mississippi, le Richelieu, le Saint-Laurent et l'Outaouais. Sur la première, le fleurdelisé déroule ses plis jusqu'en Louisiane. Quant à la seconde, elle mène au pays du casse-tête et longtemps elle sert de boulevard à l'envahisseur. Pour sa part, le Saint-Laurent pénètre jusqu'au riche réservoir des Grands Lacs. C'est la route militaire où défilent les assoiffés d'empires. Reste l'Outaouais dont les eaux verdâtres conduisent en Huronie, territoire où l'on va simultanément faire la cueillette des âmes et le troc du castor. La rivière devient l'artère commerciale de la colonie laurentienne. C'est par elle que descendent les caravanes de fourrures qui servent à garnir l'assiette économique de la Nouvelle-France.

Située au carrefour de ces deux routes vitales, la péninsule de Vaudreuil et de Soulanges joue un des premiers rôles à l'époque coloniale. Visitée régulièrement dès 1611, des missionnaires, des gentilshommes et des coureurs de bois ne cessent de défiler sur ses flancs pour aller établir l'hégémonie française dans les pays d'en Haut.

À la Constitution de 1791, on a soin d'emprunter à la géographie anglaise les noms donnés aux nouveaux comtés canadiens. Formé de cinq seigneuries et d'un canton, le triangle de Vaudreuil et de Soulanges est englobé dans le grand périmètre du comté d'York. Il est convenu que la frontière québécoise s'allongera jusqu'aux seigneuries concédées sous le régime français. Comme celles de Rigaud et de Nouvelle-Longueuil sont les deux dernières accordées à l'extrémité nord-ouest, la nouvelle ligne de démarcation entre les deux provinces s'arrêtera là. C'est ainsi que la Presqu'île restera sol du Québec. Mais les noms à consonance anglaise donnés aux nouveaux comtés ne semblent pas trop charmer l'oreille de nos députés qui décident de les changer pour d'autres d'appellation plus française. En 1829, le comté d'York est morcelé. On y retranche toute la Presqu'île qui devient le comté de Vaudreuil. En 1853, cette dernière circonscription électorale est derechef divisée. La partie nord garde la vieille désignation de Vaudreuil et celle du sud prend le nom de Soulanges.

À n'en pas douter, Lionel aimait et connaissait l'histoire de sa région. Dans l'*Annuaire*, il raconte aussi Rigaud :

RIGAUD

Comme le seul véhicule à l'époque est le canot, le colon se trouve dans l'obligation de se fixer en bordure des rivières, les seules voies qui le tiennent en contact avec les centres de civilisation. C'est ce qui explique pourquoi les premiers habitants de la seigneurie de Rigaud prendront pied dans l'Anse à la Brunette, en novembre 1762. Le peuplement des rives outaouaises est constamment gêné par les hauts fonctionnaires et les traiteurs avides de gains. Ils veulent dégarnir cette route de commerce, car si le colon s'installe vers les Hauts, il interceptera les flottilles de castors qui régulièrement se rendent aux comptoirs de Montréal, métropole de la fourrure.

Cette interception des caravanes de pelleteries dégarnira les coffres de ces messieurs. Quoique concédée depuis le 29 octobre 1732, la seigneurie de Rigaud restera de longues années pratiquement inhabitée. À l'été de 1783, une poignée de défricheurs s'amèneront de Vaudreuil pour fonder une colonie de peuplement viable sur les bords de la rivière Rigaud. C'est la genèse de la ville du même nom. Dès 1795, le vicaire Deguire, de Vaudreuil, vient dire la messe à tous les mois dans une maison de l'Anse à la Brunette. En 1801, construction du premier presbytère-chapelle. La bénédiction de la première église paroissiale remonte au 23 juillet 1822. L'érection canonique date du 4 mai 1830.

La municipalité de paroisse a été érigée le 1er juillet 1845 ; celle de village le 1er janvier 1881. Le village est incorporé ville depuis le 24 mars 1911. La paroisse est placée sous le vocable de Sainte-Madeleine en l'honneur de Madeleine Chassegros de Léry, épouse du marquis de Lotbinière. Quant au nom de Rigaud, il vient de la famille qui a obtenu la seigneurie, de laquelle est détaché le territoire qui forme actuellement cette localité.

De mon côté, j'avais obtenu les photos de toutes nos églises et de tous nos curés : Albini Brazeau, Adhémar Jeannotte, Léonidas Béland et les autres. L'*Annuaire commercial*, bourré d'annonces et contenant un article avec photos de Félix Leclerc, parut au printemps 1951. Lionel était heureux d'avoir contribué à la naissance de ce modeste ouvrage de 132 pages et refusa carrément d'être rémunéré.

À l'été 1951, je retournai voir Séguin pour lui faire part d'un autre projet qui me tenait à cœur. J'avais alors commencé à écrire des articles sur des artistes de la région, dans *L'Interrogation,* de Rigaud, et *Le Progrès de Valleyfield,* deux hebdomadaires auxquels collaborait Lionel. Je nourrissais maintenant le projet ambitieux de publier un hebdomadaire. La bonne volonté y était, quant à l'argent... c'était une autre affaire. Pour le moment, je tenais à avoir l'avis de Lionel qui m'avait écouté religieusement, mais sans vraiment me conseiller dans un sens ou dans l'autre.

Deux ou trois semaines plus tard, je reçois un appel de Séguin : « As-tu toujours l'idée de fonder un journal ? — Plus que jamais, lui répondis-je, avec emballement et enthousiasme ; j'ai même préparé une petite maquette que je pourrais te montrer. — C'est pour cela que je t'appelle. Pourrais-tu venir à Montréal ? Tu rencontreras un gars intelligent, dévoué, qui saurait t'apporter son concours. Il s'appelle Jean-Marc Gagné. Ton frère Roland l'a bien connu à Bourget. À trois, il y a peut-être moyen de moyenner. Alors, rendez-vous au restaurant *Chez son père,* demain à midi. »

Et c'est le lendemain qu'on décida d'un commun accord de se lancer dans l'aventure. Restait à trouver un nom et un peu d'argent pour pouvoir démarrer rapidement. « Comment l'appellerons-nous ce journal ? » insiste Jean-Marc Gagné. Après avoir passé en revue toute la gamme de *l'Écho de ci, le Progrès de ça,* Lionel lança : « Pourquoi pas *La Presqu'île* ? »

La grande aventure dura 12 ans. Le triumvirat réussit à bâtir une équipe de collaborateurs et à trouver, à Montréal, un imprimeur, Ovide Brabant, pas trop exigeant dans ses prix. Janvier 1952, le premier numéro de *La Presqu'île* arriva sur le marché. Deux mille exemplaires. Un mince tabloïd de huit pages, puis ensuite de 12, 16, 24, 32 et même de 80 pour les numéros de Noël. On avait pris soin de signer une entente, lors de notre rencontre historique, question de démontrer qu'on était sérieux. Le contrat en bonne forme relatif à ladite société fut signé le 15 janvier 1952. Tout un contrat :

Montréal, 15 janvier 1952

Les soussignés désirent s'associer entre eux pour la fondation et la publication d'un journal.

Les sociétaires sont propriétaires pour chacun un tiers de l'entreprise. Chacun d'eux a sa part égale et il ne peut être en aucun temps rejeté de ladite société par le désir de la ou des autres parties contractantes.

Les associés sont : Marcel Brouillard, de Vaudreuil ; Jean-Marc Gagné, de Montréal ; Robert-Lionel Séguin, de Rigaud.

Le journal qui fait l'objet de cet acte de société a pour nom « La Presqu'île ». C'est un hebdomadaire paraissant à Dorion, comté de Vaudreuil.

Un des sociétaires, Marcel Brouillard, est autorisé au nom des autres associés à faire des transactions courantes pourvu que le montant de ces dernières n'excède pas vingt-cinq dollars.

La part aux bénéfices devra être fixée à la discrétion des sociétaires et selon le travail de chacun d'eux.

Il sera loisible à chaque associé de quitter ladite société pourvu qu'il avise les autres sociétaires de sa décision, par lettre enregistrée. Dans ce dernier cas, la partie en cause est responsable de sa part des dettes de ladite société, contractées avant son avis de départ.

Les sociétaires ne pourront collaborer à d'autres publications ou périodiques qui viennent en opposition avec les buts de « La Presqu'île ». Dans pareil cas, une permission reste à la discrétion des autres associés.

Les soussignés acceptent pleinement et librement le présent engagement.

Fait à Montréal, ce quinzième jour de janvier, l'an mil neuf cent cinquante-deux.

Robert-Lionel Séguin
Marcel Brouillard
Jean-Marc Gagné

Pendant huit années, Lionel viendra passer deux ou trois soirs par semaine au journal afin de rédiger son éditorial, en plus de taper à la machine et de corriger les chroniques des journalistes en herbe de la région (André Lajeunesse [André Lejeune], Jean-Guy Boucher, Richard Rancourt, Annette Dubreuil, Léa Leduc, Réjean Taillefer). Ce n'était pas toujours facile de remanier leurs textes, maladroits au point d'en devenir parfois incompréhensibles. Ce qui comptait, c'était la nouvelle de leur village, le style leur importait peu.

Heureusement, d'autres noms s'ajoutèrent à la petite équipe du début : Georgette Dugré, Bérangère Mauffette-Thériault, Robert Séguin, Marcel Bourbonnais, Christian de Vincy (Philippe Laframboise), Roland, Robert et Micheline Brouillard (mes frères et sœur) et Fernand Robidoux, vedette de la chanson des années 1945-1955. Fernand maniait bien le français et connaissait l'art de la mise en page ; il avait le don de trouver de bons titres. Pendant deux ans, il nous apprit bien des trucs du métier. C'était une excellente acquisition pour notre équipe, surtout qu'il nous amena en prime, à quelques reprises, sa grande amie, la jeune chanteuse Dominique Michel. Tout Dorion voulait la voir ! ce qui ne nuisait en rien à l'image de notre journal...

Le moindre honneur échu à l'un des membres de *La Presqu'île* était des plus appréciés. Lionel s'était illustré en gagnant le Prix littéraire de l'Association des hebdomadaires de langue française du Canada :

Sainte-Thérèse, le 11 décembre 1953

Cher monsieur Séguin,

Je vous envoie sous ce pli un chèque au montant de 50 $, ce qui représente le prix que vous avez gagné en vous classant premier dans le concours annuel de l'Association des hebdomadaires, re : nouvelle littéraire.

Ce prix, comme vous le savez, est patronisé par M. Renault St-Laurent, C.R., 65, rue Sainte-Anne, Édifice Price, Québec, qui est l'un de nos conseillers juridiques.

Je me demande s'il ne serait pas à propos que vous lui adressiez une copie de votre conte.

L'Association a retardé à vous adresser votre chèque, pour la raison que normalement les concurrents doivent être attachés à un journal de façon régulière. Les explications fournies par MM. Gagné et Brouillard ont éclairci la situation, et je suis le premier à m'en réjouir. Il eût été fâcheux de vous en priver, d'autant plus que le prix ne pouvait être accordé à un autre concurrent.

Veuillez donc aviser M. Brouillard de la teneur de cette lettre, et avec toutes mes amitiés, je demeure,

Votre bien dévoué,

Lionel Bertrand

Tout au long de ces huit ans au journal, comme rédacteur en chef et conseiller, Lionel apporta son concours à plusieurs organismes, dont le Musée historique de l'île Perrot. Pour venir en aide au musée, *La Presqu'île* monta quelques spectacles.

Programme-souvenir du 12 novembre 1955

La direction de votre journal « La Presqu'île » est heureuse de vous présenter la deuxième édition de sa soirée de gala artistique. Cette année encore, le programme groupe les plus populaires vedettes de notre monde musical et théâtral. Merci à Hector Charland et à Estelle et Guy Mauffette, Yvette Brind'Amour, Janine Sutto, Émile Genest, Thérèse Cadorette et Félix Leclerc.

Tous les montants recueillis seront versés au fonds du Musée historique de l'île Perrot dirigé par Lucien Thériault. Cet organisme répond aux besoins de la région. Le Musée est l'affaire de tout Vaudreuil et Soulanges, une simple visite vous en convaincra. C'est là que vous trouverez les pièces intimement liées à notre histoire régionale. Ce sont autant de documents sur la vie économique, culturelle et sociale de nos ancêtres.

À titre de publiciste du Musée, il me fait plaisir de remercier nos invités d'honneur et tout le public en général d'avoir répondu en si grand nombre à notre invitation. Je remercie également tous les responsables du spectacle pour la collaboration et l'aide précieuses qu'ils ont bien voulu nous apporter dans cette organisation.

Robert-Lionel Séguin

En 1955, Lionel a la joie de publier enfin son premier livre : *Le mouvement insurrectionnel dans la presqu'île de Vaudreuil, 1837-1838.* Ce n'est pas tout de le publier, encore faut-il le vendre ! Ensemble, nous parcourons les paroisses pour l'offrir aux curés, aux présidents de commissions scolaires, à quelques notables, moyennant 2 $ l'exemplaire. Faut le faire ! Certains refusaient catégoriquement. Nous avions plus de succès du côté des maires qui affichaient leur penchant pour l'Union nationale, sachant que *La Presqu'île* était sympathique à leur cause.

Lionel s'occupe personnellement de sa promotion et de la distribution de son volume dans plusieurs librairies. Et comme on n'est jamais si bien servi que par soi-même, pourquoi ne pas en envoyer un exemplaire au premier ministre, Maurice Duplessis. Lionel avait-il espéré quelque promesse de subvention? Quoi qu'il en soit, il doit se contenter d'un accusé de réception qui l'encourage à rééditer son geste.

Rigaud, 9 mai 1955

Honorable Maurice Duplessis
Hôtel du Gouvernement
Québec

Monsieur le Premier Ministre,

Je me permets de vous offrir un exemplaire de mon dernier travail, *Le mouvement insurrectionnel dans la presqu'île de Vaudreuil*. Ce volume vient tout juste de paraître. On imagine trop que les rébellions de 1837 et 1838 ne se limitent qu'aux seuls secteurs du Richelieu, des Deux-Montagnes, de Châteauguay et de Beauharnois. Les annales de ma petite patrie, la presqu'île de Vaudreuil et de Soulanges, sont également riches en pareils événements.

Nous sommes présentement à l'un des principaux tournants de notre histoire politique. Nul doute que le rappel des luttes antérieures ne fera que raffermir davantage notre ténacité et notre détermination à suivre le sentier de l'autonomie.

Je vous prie de me croire,

Votre bien dévoué,

Robert-Lionel Séguin
Archives judiciaires
Vieux Palais de Justice, Montréal

Deux semaines plus tard, c'est devant des membres du Club Richelieu Dorion-Vaudreuil qu'il parle de son nouveau-né ; comme le relate *La Patrie* du 25 mai :

Les richesses historiques de Vaudreuil et Soulanges

DORION (Spécial) — Lors d'un dernier dîner-causerie du Club Richelieu Dorion-Vaudreuil, le conférencier invité, M. Robert-Lionel Séguin, traita d'un aspect historique peu connu de sa région, celui des événements de 1837 et de 1838.

M. Séguin, attaché aux Archives judiciaires de Montréal et membre-fondateur du journal régional, *La Presqu'île,* est l'auteur d'un volume, *Le mouvement insurrectionnel dans la presqu'île de Vaudreuil.* Ce travail, édité par la Maison Ducharme Limitée, vient tout juste de paraître en librairie.

Le conférencier a d'abord exposé les causes tant politiques que psychologiques qui ont déterminé les gens des comtés de Vaudreuil et de Soulanges à lever l'étendard de la révolte. Enclavée entre les principaux foyers de soulèvement, la péninsule n'est pas restée indifférente aux levées de boucliers de 1837 et de 1838. M. Séguin a parlé des luttes électorales comme préliminaires du soulèvement.

LE CANADIEN

Il a ensuite reculé jusqu'aux premières heures de nos annales afin d'expliquer l'indiscipline et l'insubordination du Canadien, dont les écarts ont fait maintes fois le cauchemar des autorités tant françaises qu'anglaises. Économiquement indépendant, grand propriétaire terrien par surcroît, l'habitant a toujours témoigné d'une insoumission peu commune et ce, au cours des diverses périodes de notre histoire. À l'appui de son avancé, le conférencier cite des témoignages des principaux fonctionnaires militaires ou civils, des voyageurs et des narrateurs de l'époque.

Les faits rapportés par M. Séguin furent toute une révélation aux convives qui ne soupçonnaient pas que pareils événements soient survenus dans leur petite patrie, lors du tragique automne de 1837. Plusieurs y ont reconnu des noms de vieilles familles qui s'identifient au secteur depuis les toutes premières heures du peuplement.

M. Séguin rappela ensuite certains faits contemporains à la rébellion : les différends qui opposèrent la famille seigneuriale et les insurgés de Vaudreuil ; les assemblées de ce dernier endroit et de la rivière à Delisle ; le tumulte qui accueillit le chant du *Te Deum,* à l'avènement au trône de Victoria ; la formation d'une cavalerie patriote ; les menées séditieuses de Whitelock, au fief Choisy, à Rigaud ; enfin, la fondation de la feuille clandestine, la *John Gripe,* ancêtre de la presse dans Vaudreuil et Soulanges.

Le conférencier fut présenté par M. Marcel Brouillard. Il fut ensuite remercié par le Dr Jean Cuillerier.

En 1955, Lionel est invité à Stratford, en Ontario, où on lui demande de présenter dans l'aréna une exposition, dont le thème est le Canada français. Il s'agit de reconstituer un intérieur de maison d'ici du siècle dernier. À cette fin, Séguin doit transporter le mobilier et les accessoires d'époque nécessaires pour remplir quatre pièces. À cette exposition figurent également des instruments aratoires prémachinistes et autres objets servant aux travaux d'artisanat.

On peut facilement imaginer la corvée que représente la responsabilité de réunir les objets intéressants et d'en assurer le transport jusqu'en Ontario pour le collectionneur, qui revient passablement épuisé de l'aventure. Parce que Lionel se contentait de sommes modestes pour ses déplacements, il ne revenait pas enrichi de ces aventures, mais il trouvait sa récompense dans le plaisir qu'il retirait à faire connaître à tous ces objets du patrimoine.

Déjà, en 1956, on reconnaît l'excellence de ses acquisitions. C'est ce que soulignait Alain Stanké dans *Le Petit Journal* du 30 décembre :

> Il y a à Rigaud un musée unique, riche de nombreuses pièces canadiennes qui, malheureusement, n'est pas ouvert au public. Il s'agit de la collection de Robert-Lionel Séguin, un amateur de paysannerie, propriétaire d'œuvres d'art très rares. On y retrouve des pièces de Dulongpré (1810), de Berzay (1804), de Girouard (1837). Il a en sa possession une porte de tabernacle de Baillargé et un crucifix sculpté par Liébert en 1802. M. Séguin est très fier de ses pièces d'horlogerie, de poterie, de costumes, d'outils, de mobilier, d'instruments aratoires. On trouve même de la monnaie de cartes qui a été émise dans notre pays en 1729, de la monnaie du Bas-Canada, de la Nouvelle-Écosse, du Nouveau-Brunswick...

Même s'il gagnait bien sa vie, ses accumulations de trésors lui coûtaient très cher, et on découvrit à sa mort qu'il avait hypothéqué toutes ses polices d'assurance pour accomplir son œuvre. Les seules vacances que Lionel s'offrait pendant les années de *La Presqu'île*, c'était une petite semaine pour assister au congrès des Hebdos. En 1956, alors que le congrès était tenu à Sherbrooke, Lionel se fit accompagner de sa fiancée, Huguette Servant, qu'il fréquentait assidûment depuis une bonne dizaine d'années. Elle devint officiellement madame Robert-Lionel Séguin, écrivait-on à ce moment-là, le 26 octobre 1957. Il était temps ! Elle avait 27 ans et Lionel 10 de plus.

CHAPITRE 7

L'enfance, le violon, l'amour

Mon mari avait la manie de tout collectionner et de chercher à tout savoir depuis sa tendre enfance. Et sa passion n'a fait que croître avec les ans. L'influence de sa mère y est sûrement pour quelque chose. Dès la naissance de son fils unique, elle s'est mise à noter ses moindres faits et gestes. Elle a noirci Dieu sait combien de carnets dans lesquels elle consignait tous les faits de la vie quotidienne. Et quand je dis tout, ce n'est pas une façon de dire, le moindre détail méritait d'être noté : que Lionel s'est fait extraire deux dents le 12 septembre 1925, qu'il a été vacciné le 9 septembre 1926 par le Dr L.-M. Pelletier, qu'il a eu ses premiers patins à une lame le 5 janvier 1927, qu'on lui a coupé ses longs cheveux blonds bouclés, etc.

Quelle avalanche d'écrits de la part de Marie-Jeanne ! Était-ce que le fait d'avoir un seul enfant lui laissait plus de temps pour le regarder grandir ? Quoi qu'il en soit, ce n'est pas moi qui m'en plaindrais puisque j'apprends plein de renseignements inédits sur Lionel. Quatorze ans après son départ, je découvre encore des cahiers de toutes sortes dans ses classeurs. Je trouve très émouvant de lire ces petits incidents qui ont rempli sa jeunesse, c'est un peu comme si je partageais encore quelques moments avec lui.

Celle qui raconte ainsi Lionel sait de quoi elle parle puisqu'il s'agit d'Huguette Servant-Séguin, sa femme, qui l'a accompagné pendant plus de 30 ans.

Ces carnets révèlent aussi que Lionel a éprouvé des problèmes de santé durant toute son enfance et qu'il a fait plusieurs séjours dans différents hôpitaux pour se faire traiter les poumons et la gorge. En dépit de ces nombreuses absences en classe, il réussit à avoir des notes au-dessus de la moyenne. Nul doute que Marie-Jeanne y veille, elle qui souhaite pour son fils une carrière de grand violoniste. Alors que Lionel est à peine âgé de neuf ans, en février 1930, elle l'accompagne dans la métropole chez le professeur Agostino Salvetti, violoniste à l'Orchestre symphonique de Montréal.

En 1933, Marie-Jeanne, qui aimerait bien inscrire son fils au collège Bourget, est déçue, l'argent manque et Lionel doit poursuivre ses études à l'école Saint-François. Ce n'est qu'en septembre 1934 qu'il entre à Bourget, en Éléments latins. Mais la maladie le force à quitter l'institution des clercs de Saint-Viateur en janvier 1935. Il retournera à l'école Saint-François, en huitième année, et reviendra l'année suivante à Bourget.

Mais tout va pour le mieux dans ses études musicales. Il répète assidûment son violon : Lionel entend devenir un grand artiste. Le 25 novembre 1936, il joue pour la première fois en solo, au collège Bourget. Agostino Salvetti, son professeur de violon, lui a promis une place dans l'orchestre du collège en septembre de la même année. Enthousiasmé, Lionel se précipite à Montréal pour commander un violon. L'instrument de prix, importé d'Italie, doit passer par une agence de New York et se fait attendre. Mais monsieur Salvetti l'apportera à temps pour sa première répétition avec l'orchestre, en qualité de deuxième violon. Étienne Corbeil en est le premier.

La situation est plus difficile du côté de ses études collégiales à Bourget. Même si, à 17 ans, il rafle tous les prix en comptabilité, en histoire, en géographie, en dactylographie et en musique, il a beaucoup de mal à s'entendre avec la direction sur le plan financier. Il offre d'acquitter le paiement de ses cours une fois sur le marché du travail, mais « échec complet, je suis forcé de quitter Bourget à ma grande déception », écrit-il.

Il décide alors de parfaire ses études à Montréal, au Collège commercial Élie, en 1937. Après avoir déboursé ses frais mensuels de cours, 12 $, sa « passe » sur le CPR (Canadian Pacific Railway) à 6,95 $ par mois, il ne lui reste pas grand-chose, mais Lionel trouve quand même le moyen de continuer ses leçons de violon, à 3 $ par mois, le soir à Bourget, où il est toujours membre de l'orchestre.

❖

Le manque d'argent, les inquiétudes quant à l'avenir, la disparition d'êtres chers marquent l'entrée de Lionel dans la vie adulte; ainsi le 4 octobre 1937 :

> L'épreuve de ma vie vient d'arriver, grand-père Amédée est mort à l'âge de 86 ans. Je viens de perdre celui qui m'adopta jadis comme son fils, celui qui d'adolescent que j'étais a fait de moi un homme, celui qui dépensa les derniers jours de sa vie entièrement pour moi. Je lui dois une reconnaissance éternelle. Je retourne à Montréal faire quelques emplettes et avertir l'oncle Oscar avec qui je reviens à Rigaud... Grand-père a eu un service diacre/ sous-diacre. Rien n'a été négligé. J'ai fait la quête à l'église avec mon cousin Maurice.

À la fin de l'été 1938, Lionel entre à la *Rigaud Canning* comme comptable. Il travaille avec son oncle Eugène, à 12,5 cents l'heure. Grâce à cet emploi, il règle au procureur du collège les arriérés de ses cours de musique.

On l'invite à jouer, comme premier violon, à la Salle dorée de l'hôtel Windsor, à Montréal, à l'occasion des banquets de l'Amicale de Bourget, et plus tard au Château Laurier, à Ottawa. Il ira ensuite jouer à l'école Saint-Eugène, en Ontario, au Standish Hall, à Hull, et participera des dizaines de fois à des concerts à Bourget et dans différentes maisons religieuses à Rigaud et à Montréal, sous la direction du chef Salvetti. Puis, vers 1939, sans qu'il en donne jamais la raison, Lionel décide de refuser tout engagement. Par la suite, ce n'est qu'en de rares occasions et toujours après qu'on l'eut prié longue-ment de le faire, que Lionel acceptera de jouer. Le temps du violon est bien fini.

En fait, Lionel est sans doute préoccupé par son avenir. Le 10 avril 1939, il écrit :

> Je me souviendrai longtemps de cette date, où j'ai clôturé brillamment tant d'années de labeur. Fini le temps de l'école, du collège, je suis un homme maintenant et brusquement je me trouve en face de la vie. Il me faut me trouver une position, travailler et me forger un avenir. Merci à mes bons parents, à maman surtout qui a peiné si fort pour me faire achever mes études. Doux cœur de Jésus, faites que je ne les oublie jamais et réservez-moi un avenir et une vie sainte et pure. Faites de moi un homme qui saura être utile à sa famille, à son pays, à sa race, à sa religion et à sa langue.

Depuis mars 1936, Lionel a pris le relais de sa mère, c'est lui qui note maintenant les moindres activités quotidiennes, habitude qu'il gardera tout au long de sa vie. Il se livre aussi à une autre sorte d'écriture : la rédaction de deux romans, *Le dernier des capots gris*, et plus tard, *Le village de par chez nous*. Le 24 juin 1939, jour de la Saint-Jean-Baptiste, il est à Montréal pour assister au défilé. Il en profite pour laisser son premier manuscrit au frère Graveline pour qu'il lui en fasse une critique.

La réponse est peu encourageante : « Lecture très inté-ressante mais nécessite de nombreuses retouches. Malheureusement, je n'ai pas le temps de vous aider. » Nullement déçu, Lionel note : « Je ne m'en fais pas et j'ai plus envie que jamais de continuer mon travail. J'ai confiance dans mon roman et je crois fermement qu'après certaines retouches, je pourrai le vendre bientôt. C'est certain qu'un jour il sera publié. » Mais l'ouvrage n'a jamais paru.

❖

Toutes ces petites contrariétés sont choses du passé le 26 octobre 1957 quand Joseph Robert Lionel Séguin, 37 ans, épouse Marie Huguette Fernande Servant, 27 ans.

Au retour d'un voyage de noces à Québec, les amoureux s'installent dans leur nouvelle maison de la Grande-Ligne, construite principalement par tous les « mon oncles ». Depuis deux ans qu'on la préparait, la maison était donc prête à les recevoir : *prélart* posé, peinture fraîche, tentures ajustées, courtepointe enjolivant le lit. Cette maison leur appartient conjointement ; ils y ont investi toutes leurs économies. Elle sera plus tard agrandie et déménagée de l'autre côté de la rue.

> Le mariage, à 37 ans, représentait un mode de vie bien différent pour Lionel et... pour sa mère qui le réclamait souvent auprès de lui. Mais il n'y avait aucun regret chez Lionel, au contraire, quand nous nous sommes installés dans notre logis, il m'a dit simplement : « Avoir su ce que je sais, il y a longtemps que je serais marié. Maman finira bien par comprendre que son oiseau a quitté le nid. »

Lionel travaille, pour un certain temps, aux Archives judiciaires du Québec, dans le Vieux-Montréal, et s'arrête deux ou trois fois par semaine à Dorion pour prêter main-forte à l'équipe de *La Presqu'île.*

Il a déjà accumulé un bon nombre d'objets, souvent de grande valeur. Sa passion lui coûte cher, mais Huguette l'appuie entièrement. Elle qui depuis 1952 travaille chez Harpell's Press Cooperative partage l'intérêt de Lionel et profite de ses propres revenus pour permettre au collectionneur d'enrichir ce qu'on aurait pu voir comme une simple accumulation d'articles mais qui est maintenant devenu une véritable collection. Et tous ces objets sont méthodiquement répertoriés et étiquetés :

> Lionel était méticuleux. Rien ne traînait chez lui, ni au-dedans, ni au-dehors. Il classait et rangeait à la bonne place tout ce qu'il ramassait. On n'avait pas le droit de le déranger quand il travaillait dans ses bureaux. On le faisait quand même à ses propres risques. Un jour, il m'avait demandé d'intervenir auprès de notre dévouée femme de ménage, Fleur-Ange White, pour qu'elle ne touche plus à ses affaires prétextant que cela pouvait le déranger. Il ne supportait aucune traînerie dans ses lieux de travail et préférait voir personnellement au ménage.

Que ce soit à ce propos ou sur d'autres plans, leur entente est parfaite. Sans qu'il s'agisse d'une décision de l'un ou de l'autre, le hasard fait qu'ils n'ont pas d'enfants, mais la maison est souvent remplie des nièces d'Huguette. Leur bonheur aurait-il été plus grand avec des enfants? Qui sait? Il reste qu'ils formeront leur vie durant un couple uni. Pour Huguette, il est évident qu'ils étaient faits l'un pour l'autre. C'est elle qui la première l'a découvert.

Rigaud, 20 septembre 1949

Monsieur Robert-Lionel Séguin
Montréal, Québec

Cher Lionel,

Tel que promis, il y a quelque temps, je prends la plume pour tracer au fidèle ami de mon cœur tout ce qu'il ressent pour toi.

Plus que jamais il éprouve le besoin de s'épancher, de te dire en un mot qu'il t'aime. Sois assuré, mon chéri, que ce mot très court vient d'un cœur bien sincère et souvent solitaire quand tu es loin de moi.

Sans toi, ma vie serait bien triste, car tu fais mon bonheur. L'unique but que je poursuis, c'est d'être heureuse en faisant ton bonheur.

Comme tu vois, la Forteresse que je suis n'est pas tombée devant l'assaut que toi, le Chevalier, aies pu monter.

Oui, toi mon amour, tu es le seul qui puisse me comprendre et me rendre heureuse, car nos cœurs battent à l'unisson et sont heureux quand ils sont ensemble et peuvent parler de leurs peines, de leurs inquiétudes et de leurs joies.

Ne vois-tu pas dans nos amours la volonté de l'être suprême qui s'est manifestée à maintes reprises dans notre enfance?

Oui! Lionel, il y a longtemps que je pense à toi et ce grand rêve de ma tendre enfance est aujourd'hui en train de se réaliser.

Peut-être, Lionel, qu'au moment où tu lis ces lignes tu te sens un peu triste à la pensée que j'aurais pu laisser parler mon cœur encore plus ouvertement, mais hélas! je ne le puis...

N'étant pas très habituée à le laisser parler, je me vois presque obligée d'arrêter ici, mais avec l'espoir que tu laisseras parler le tien sous peu.

Souviens-toi que mon cœur bat sans cesse pour toi tout seul.

Je demeure ton seul amour,

Huguette

Rigaud de Vaudreuil, 24 septembre 1949

Chère Huguette,

Je viens m'acquitter de ma «promesse». Je suis un peu ému et gêné de te faire parvenir ces lignes. Ému, car c'est la première fois que j'en ai le plaisir et j'ajouterais «la permission»; gêné, parce que je doute de mes aptitudes et qu'il est toujours assez pénible d'étaler sa gaucherie à celle qu'on aime.

Il m'est bien impossible chère Huguette de t'exprimer ce que j'ai ressenti à la lecture de ta lettre. Jamais je n'anticipais un tel bonheur. C'était difficile pour moi d'imaginer que la «petite cousine» de jadis consentirait à devenir la compagne de ma vie; accepterait mon bagage de défauts et de manies et ce au détriment «d'autres sujets» qui je n'en doute pas doivent paraître plus intéressants. Non jamais je ne pensais la «petite cousine» capable de tant de renoncement et d'abnégation.

Les sentiments que je partage avec toi chère Huguette remontent à si loin que je ne parviens pas à en déterminer l'origine. Tout ce dont je me souviens c'est que depuis toujours tu t'es installée dans ma vie. Tu l'as fait sans permission et à la manière d'une conquérante. Et moi j'ai cherché à barrer cette invasion. Alors la lutte s'est engagée entre nous deux sans que tu le saches. Ce n'était pas la guerre-éclair, mais une lutte lente, stratégique, mesurée. Tu avançais infailliblement étape par étape et moi j'effectuais une retraite analogue. Résultat : un beau jour il ne me restait plus assez de territoire pour organiser ma défense. J'ai dû m'avouer vaincu – oui vaincu sur toute la ligne. Et puis je suis sous ta domination. Aussi je te demande d'user de modération envers le vaincu et de ne pas chercher à abuser de sa situation de conquis.

Le dénouement actuel de notre «camaraderie», je le pressentais inévitable pour moi. Mais si j'ai toujours cherché à trouver le bonheur ailleurs depuis quelques années, c'est que j'imaginais que tu ne me portais attention que par coquetterie et que sûrement tu devais bien te moquer du «grand cousin» qui au fond devait te sembler un peu bête et peu intéressant comparé à d'autres.

Alors dans mes gestes, dans mes paroles, dans mes actes j'ai cherché à te faire croire que tu m'étais indifférente. La petite tactique du dédaigné quoi, et qui écorche beaucoup plus celui qui l'exerce que celui qui en est l'objet. Aussi après une telle tactique renouvelée durant des années, je me demande comment il se peut que tu conserves encore les mêmes sentiments pour moi, que tu me pardonnes, que tu consentes à passer l'éponge sur toutes mes impolitesses et que tu me trouves encore digne de toi. J'ai honte Huguette, oui j'ai terriblement honte de ma conduite à ton égard.

Je me demande aussi en vertu de quels mérites j'ai pu tant recevoir du ciel, car être choisi par toi Huguette est une faveur insigne que je ne mérite peut-être pas. Je ne badine pas tu sais. Il est rare de nos jours de trouver une compagne aussi digne que toi, d'une conduite absolument indiscutable et exemplaire, douée de grandes qualités personnelles et capable de faire honneur à celui qui partagera sa vie. Je connais assez les jeunes filles pour établir la différence entre toi et les autres. Seulement je me demande toujours si je suis digne de toi, si je mérite un si grand bonheur.

Oui Huguette! je te suis redevable de cet immense bonheur. J'ai toujours été pessimiste, je broyais du noir. Je m'ennuyais avec les autres. Au contraire tout m'aimantait vers toi. Depuis que j'ai compris que tu daignerais jeter les yeux sur moi, ma vie a complètement changé. Jamais tu ne pourras imaginer tout le bonheur dont je te suis redevable.

Je te prie d'être indulgente pour celui que tu choisis. Il tremble en songeant que tu tiens le succès de sa vie dans tes mains, que tu peux le rendre malheureux à jamais, car tu restes toujours libre de l'agréer ou de le rejeter.

Après cette lecture tu comprendras chère Huguette toute la place que tu occupes dans mon existence. Encore une fois, je remercie le ciel de m'avoir donné une compagne aussi digne que toi. Je suis fier de toi Huguette et je t'appartiens éternellement.

D'un qui ne t'oubliera jamais,

Lionel

P.-S. Excuse les ratures. Tu vois j'ai improvisé tel que promis.

CHAPITRE 8

Les coins et recoins du Québec

Tant pour le plaisir que pour satisfaire aux exigences de sa profession, Robert-Lionel Séguin a parcouru cent fois tous les coins et recoins du Québec. C'était le moyen privilégié pour l'ethnologue de trouver des objets de la civilisation traditionnelle et de faire l'inventaire systématique des secteurs archaïques. C'est ainsi qu'il a pu, en travaillant sur le terrain, dénicher autant d'outils, de poterie, de costumes, de jouets, de mobilier, d'instruments aratoires et même de bâtiments érigés pièce sur pièce ou avec toit de chaume.

Cette recherche incessante de trésors lui a valu la reconnaissance des milieux universitaire, scientifique et spécialisé, ici comme à l'étranger, qui considèrent la Collection Séguin comme étant unique, absolument complète et homogène. Acquise en 1983 par l'Université du Québec à Trois-Rivières, soutenue en son action par le ministère de l'Éducation du Québec et des organismes de la Mauricie, cette collection évaluée à plusieurs millions de dollars est d'une valeur culturelle inestimable.

Sujet d'intérêt depuis l'adolescence, cette science des traditions et de l'art populaire n'avait plus de secrets pour lui, pourtant Lionel a jusqu'à la fin continué ses recherches avec autant de fougue et de détermination. Tout lui est prétexte à fouiller le terrain pour enrichir l'histoire, le patrimoine.

En ethnologue complet, Lionel s'intéresse autant à l'homme qu'à l'objet. À Percé, notamment, il apprécie tout ce qui fait la joie des touristes : les bons restaurants, les vertes vallées et la mer, les fous de Bassan qui piaillent dans l'île Bonaventure et le célèbre rocher, mais sa tournée serait incomplète sans ses rencontres avec les pêcheurs. On discute de pêche au maquereau, au thon ou au saumon et Lionel n'a pas assez d'oreilles pour savourer tout ce qu'il apprend de ces gens qui ont su conserver l'authenticité de leur métier artisanal.

Pour les Séguin, la Gaspésie devient presque, durant un certain temps, le lieu d'un pèlerinage annuel. À quelques reprises, ils poursuivent jusqu'aux Îles-de-la-Madeleine ; même si l'accès aux Îles, au début des années soixante, n'est pas des plus simples, il est loin le temps où le *North Gaspé* transportait deux fois par mois des passagers de Montréal et de Québec aux Îles, avec escale en Gaspésie.

Pour un féru d'histoire comme Lionel, les rencontres avec les Madelinots lui font l'effet de parcourir des pages d'histoire. On oublie souvent que les îles de la Madeleine sont les vestiges d'une terre disparue, qui unissait Terre-Neuve, la Gaspésie, la Nouvelle-Écosse et l'Île-du-Prince-Édouard, et dont l'affaissement a formé le golfe Saint-Laurent. Le temps semble s'être arrêté aux Îles, certains anciens racontent, comme s'ils l'avaient vécue, l'époque où les Acadiens des Îles avaient livré combat pour s'affranchir de la tutelle des riches marchands et du régime seigneurial. Lionel note tout. Il sait écouter les gens et attire les confidences. Au-delà de la sympathie qu'il dégage, ses connaissances en font un interlocuteur universel, surtout que ces Madelinots façonnés par le vent et la mer ont un langage coloré dont il ne se fatigue pas.

Comme le collectionneur est bien connu pour sa passion, partout où il passe, on lui propose des objets, qui sont parfois un peu encombrants. Lionel s'arrête un jour au

Musée de la mer, à Havre-Aubert, pour y voir tout bonnement des instruments de navigation du 18e siècle. Il en sort muni d'une adresse d'un cultivateur intéressé à lui vendre une baraque d'époque et un doré (bateau de pêche qui servait surtout à la chasse au loup marin). Lionel achète sur l'heure et il ne lui reste plus qu'à les faire expédier par bateau jusqu'à Montréal et par camion jusqu'à Rigaud.

L'acquisition en vaut la peine puisque la baraque, aux Îles, est tout à fait digne d'intérêt. La plupart des baraques sont en fait des constructions saisonnières, en ce sens qu'elles sont démolies et reconstruites tous les deux ou trois ans, voire chaque année. Seuls une dizaine de ces bâtiments sont de type permanent, c'est-à-dire ayant charpente solidement érigée à tenons et à mortaises.

Le Québec compte encore quelques autres types moins connus de bâtiments régionaux. Par son originalité, la baraque des Îles-de-la-Madeleine remporte une mention spéciale. C'est un petit hangar carré, mesurant quatre ou cinq mètres de longueur, et à toit réglable. Cette toiture en pavillon s'abaisse ou s'élève entre les poteaux qui sont à chaque coin du bâtiment. Le dispositif sera successivement à chevilles, à poulies et enfin à palans, ce qui permet de doubler à volonté le volume du fenil. Quelle quantité de fourrage peut-on engranger dans une baraque de moyenne dimension? Si le foin est bien fané, chaque mètre de hauteur pèserait de deux tonnes et demie à trois tonnes.

La baraque, écrit encore Lionel, serait l'unique bâtiment de ferme québécois d'origine hollandaise, si l'on excepte le séchoir à maïs de type pentagonal. Des sources, tant visuelles qu'imprimées, permettraient d'établir son cheminement chronologique en Amérique.

La baraque de Séguin aurait donc été introduite en Amérique par les Hollandais de la Nouvelle-Hollande (Albany). Puis, elle aurait été apportée aux Maritimes par les loyalistes américains, dans les dernières décennies du 18e siècle. De l'Île-du-Prince-Édouard, elle serait définitivement passée aux Îles-de-la-Madeleine vers le deuxième quart du 19e siècle. Une belle et longue histoire.

❖

Dans Charlevoix, sans doute la région qu'il visita le plus souvent, l'historien avait compris pourquoi les colons français s'étaient accrochés aux flancs de ses montagnes et s'étaient nichés dans le creux de ses vallées. Même si les riches touristes américains se bâtirent des châteaux dans Charlevoix vers la fin du 19e siècle, la vie française et la langue sont plus vivantes là peut-être qu'ailleurs. Saint-Joseph-de-la-Rive, l'île aux Coudres, Saint-Irénée, endroits si chers à Séguin, sont autant de diamants sertis par les Laurentides et le Saint-Laurent.

Après être passé par Saint-Tite-des-Caps, Lionel s'arrêtait un court moment pour déguster de l'éperlan, à l'auberge Otis. Il connaissait à fond les vieux moulins de l'endroit, le Musée du patrimoine rempli des collections de Gérard Tremblay, la maison du peintre René Richard, construite en 1852, et l'emplacement où habita le premier colon, Noël Simard, en 1678.

La tournée de Séguin se poursuivait aux Éboulements. La vieille forge, qui date de 1891, retenait son attention puis aussi le Musée du livre ancien. Lionel retrouvait aux Éboulements Pierre Dansereau, qu'il avait connu alors que ce dernier était professeur d'écologie à l'Université du Québec à Montréal. Puis la visite aux Éboulements se terminait chez Jacques Labrecque, le folkloriste, qui a notamment produit une série de disques et de textes répertoriant le patrimoine des différentes régions du Québec.

Ensuite, il y avait l'arrêt incontournable à Saint-Joseph-de-la-Rive, pour y faire provision de papier fin à l'étonnante papeterie Saint-Gilles, où, comme en Auvergne, suivant un procédé du 17e siècle, on fabrique à la main du papier de grande qualité en chiffon pur, filigrané, dans lequel sont incorporés, selon les saisons, des pétales colorés de fleurs des champs, des feuilles d'érable, des fougères ou de l'écorce de bouleau.

Puis c'était l'île aux Coudres où il savait trouver chez madame Louis Lavoie de magnifiques courtepointes, catalognes et tapis crochetés. Elle lui répétait chaque fois : « C'est pour vous personnellement, mon bon monsieur Séguin, et surtout promettez-moi de ne pas les montrer au monde. C'est trop vieux ! » Quelques années plus tard, on les exposait en France...

Chez le cultivateur Raoul Bouchard, du ruisseau Rouge, Lionel avait déniché des instruments aratoires qui manquaient à sa collection. Et encore un petit détour à Saint-Irénée pour saluer ses amies Cécile et Jeannine Bouchard, qui fournissaient les bons tuyaux pour se procurer des ceintures fléchées, et des courtepointes ou autres objets d'histoire.

C'est à Saint-Irénée, en 1963, chez Joseph-Didier Tremblay, que Lionel avait d'abord été mis en présence d'un marche-à-terre, cette énorme machine actionnée par des bœufs mise au point pour produire la force motrice nécessaire au battage des grains. Jusqu'alors, le travailleur lui-même devait produire la force motrice. Lionel est absolument fasciné par cette machine qui témoigne de l'ingéniosité de nos ancêtres, surtout qu'il s'agit du seul exemplaire de ces roues motrices ayant échappé à la destruction. Ses dimensions imposantes et sa rareté font du marche-à-terre l'un des éléments les plus spectaculaires du domaine de la civilisation traditionnelle. Durant les dernières décennies du 19e siècle, d'autres roues motrices, par exemple plusieurs moulins à fouler l'étoffe, sont aussi construites dans la région de Charlevoix, notamment sur les bords de la rivière du Gouffre, à Baie-Saint-Paul. On ne saurait trop souligner l'excellence de ces artisans, inventeurs de machines qui ont révolutionné la technologie traditionnelle et qui ont placé l'équipement aratoire québécois à la fine pointe de l'évolution, bien avant les Ferguson, les Massey et les Harris.

En 1967, le marche-à-terre est toujours en possession de Joseph-Didier Tremblay. Lionel est plus que jamais intéressé à l'acquérir. Mais faute d'argent, il s'en est fallu de peu qu'il ne rate ce trésor, qu'il avait laissé à son propriétaire en lui recommandant de le lui garder jusqu'au printemps. Une fois revenu à Québec où il termine des travaux à l'Université Laval, Lionel eut vent que des fonctionnaires d'Ottawa avaient des visées sur « son » marche-à-terre. Fort heureusement, le propriétaire de l'objet de tant de convoitises accepta de se contenter d'une somme partielle sur le montant entendu de 1200 $.

L'entente conclue, il reste à transporter l'objet. Avec beaucoup d'aide, on le démonte morceau par morceau. On remplit à craquer une remorque accrochée à la voiture de Lionel, et on met le cap sur Rigaud. Au bout de quelques heures, la remorque surchargée se détache de l'automobile pour aller s'écraser dans un fossé en éparpillant le contenu. De peine et de misère, on ramasse le tout; mais on a la prudence, cette fois, de louer un camion, véhicule dont la taille était plus conforme à la charge et qui transportera la cargaison sans autre avarie à Rigaud. Ouf!

CHAPITRE 9

1960 – 1970 et le tour du proprio

L'année 1960 marque le début de la Révolution tranquille avec la venue de Jean Lesage, libéral, comme premier ministre du Québec. Pour l'ethnologue Robert-Lionel Séguin, qui connaît bien la pensée de ses compatriotes, les événements de l'année sont l'entrée en politique de René Lévesque et... la retraite de Maurice Richard !

Bien avant que débute la dure campagne électorale, on a signifié à Séguin qu'il devait cesser toute collaboration avec *La Presqu'île*, journal auquel il est étroitement lié depuis sa fondation en 1952, sans quoi il s'expose à de sérieux ennuis à son travail de fonctionnaire provincial advenant un changement de gouvernement.

Finalement, le nouveau député de Vaudreuil-Soulanges, Paul Gérin-Lajoie, libéral, élu par 149 voix, doit se rendre à l'évidence : on ne déplace pas si facilement un homme de la trempe de Séguin. Leur vision de l'autonomie du Québec est vraiment opposée : l'un est farouchement nationaliste, l'autre ne peut couper les ponts avec le pouvoir central. Quand on a été boursier Rhodes, comme Gérin-Lajoie, et que l'on est passé par Oxford, il est bien difficile de s'identifier au *Maîtres chez nous !* de Jean Lesage et de René Lévesque.

Mais Séguin est quand même forcé de couper les ponts avec *La Presqu'île*. Gérin-Lajoie n'a pas oublié que Séguin, par le biais de ce journal, a travaillé contre lui à l'élection du 22 juin 1960, à la précédente de 1956 et à la partielle de 1957, deux scrutins où il avait été battu par Loyola Schmidt, un homme d'affaires prospère sans aucun diplôme. Mais ce départ ne nuira en rien aux liens d'amitié qui l'unissent à toute l'équipe, notamment avec l'un des chroniqueurs, Marcel Bourbonnais, élu député conservateur en 1958 et en 1962.

C'est une époque fort occupée pour Lionel qui mène de front ses activités d'ethnologue, d'historien et de professeur. Il est chargé du cours d'ethnologie et de folklore matériel à l'Université Laval tout en assumant la tâche de conservateur du petit musée de l'Institut des arts appliqués, à Montréal, qui relève du ministère des Affaires culturelles du Québec. De plus, Lionel est chargé de recherches sur le milieu matériel québécois pour le compte du Musée national du Canada (1960-1965), à Ottawa, et consultant pour l'Office national du film. Il est également chargé de cours en civilisation traditionnelle (Service d'éducation aux adultes) à l'Université de Montréal. C'est aussi en 1961 que Séguin fait son premier voyage en France pour effectuer des enquêtes ethnographiques.

Dès 1960 et pendant toute la décennie, on ne parle que de rattrapage au Québec. Il faut modifier en profondeur nos institutions; on vit à l'enseigne de l'État-providence. Le nombre d'enseignants dans le secteur public passe de 27 000 en 1950 à 45 000, dix ans plus tard. Cette augmentation est encore insuffisante pour répondre à la demande créée par l'arrivée des enfants du *baby boom*.

La nationalisation de l'électricité, en 1962, prend figure de symbole. Ce nouveau nationalisme plaît à Séguin, qui ne cache pas son admiration pour René Lévesque. Par contre, il craint que Gérin-Lajoie, à la tête du nouveau ministère de l'Éducation, apporte des changements trop radicaux, ce qui lui vaut d'autres réprimandes à son travail. On ne voit la vérité, à ce moment-là, que dans *Les insolences du frère Untel*, un livre de Jean-Paul Desbiens, qui dénonce les carences du système d'éducation. L'élection du premier ministre Daniel Johnson père, en 1966, permet à Séguin d'être mieux entendu.

❈

Auteur prolifique, Séguin mène à terme plusieurs ouvrages au cours des années 60 : *Les granges du Québec, Les costumes en Nouvelle-France, La maison en Nouvelle-France* et *La civilisation traditionnelle de l'habitant aux XVIIe et XVIIIe siècles,* qui lui vaudra le Prix du Gouverneur général et un prix de l'Académie française.

En avril 1964, le Conseil des arts du Canada décerne à l'ethnologue une bourse qui lui permettra d'étudier notre civilisation matérielle, notamment les instruments aratoires. Lionel se rend pour la troisième fois en Europe, particulièrement en France, dès septembre, pour poursuivre ses recherches au Musée des arts et traditions populaires de Paris et à travers la campagne française. Il est aussi conseiller pour la Société historique de Vaudreuil-Soulanges, présidée par Lucien Thériault.

À partir de 1963, Lionel fait partie de la Société des Dix qui réunit, dans l'ordre des fauteuils qu'ils occupent : Gérard Malchelosse, Louis-Philippe Audet, Léo-Paul Desrosiers, Raymond Douville, Jean-Charles Bonenfant, Mgr Olivier Maurault, Robert-Lionel Séguin, Séraphin Marion, Jacques Rousseau, Léon Trépanier, tous très connus dans leur domaine respectif.

À ses débuts, en 1935, la Société des Dix regroupait uniquement des Montréalais passionnés d'histoire. Les réunions avaient surtout lieu au château Ramezay, puis au Cercle universitaire de Montréal et à celui de Québec et on organisait des visites de sites historiques. Au cours des ans, la Société des Dix changea ses habitudes. Les réunions avaient lieu chez l'un ou l'autre des membres. Mais la même attitude sélective est restée quant à la nomination de ses membres : à sa démission, le titulaire d'un fauteuil est libre de présenter le candidat de son choix, à la condition qu'il s'agisse d'un féru d'histoire. Chaque année, depuis 1935, les membres publient *Les cahiers des dix*, un livre important par son contenu, sa belle tenue. Ils réussissent fort bien à défendre les vraies couleurs du Canada français. À l'occasion, la Société décerne des prix, comme ce fut le cas pour la décoration que reçut l'historien Gérard Morisset (1898-1970), ex-conservateur du Musée de Québec, pour récompenser l'ensemble de son œuvre.

Même s'il vit le plus souvent penché sur les objets du passé, avec tout le sérieux dû à sa tâche d'historien et d'ethnologue, l'étude d'actes notariés, de documents de loi, de correspondance lui révèle bien des aspects de la vie quotidienne du temps jadis. Il s'amuse à collectionner mille et un faits coquins sur le Québécois d'antan. C'est ainsi que, en 1968, Lionel publie *Les divertissements en Nouvelle-France*, un recueil de chroniques qui avaient d'abord paru, l'année précédente, dans *La Semaine illustrée* sous le titre *Les histoires galantes de grand-père*.

Lionel n'est pas non plus à l'écart du monde des divertissements, il va régulièrement au spectacle et reçoit avec plaisir les artistes intéressés à voir sa collection. Dans ses carnets, il a noté quelques visites de Pauline Julien, Doris Lussier, Suzanne Reid, Aimé Major, Michel Faubert, Madeleine Arbour, Georges Coulombe... Assez souvent, il n'hésite pas à écrire des lettres de félicitations ou de désapprobation aux médias et aux artistes. Surtout quand sa critique touche à la langue :

Monsieur l'Attaché culturel
Ambassade des Républiques socialistes soviétiques
Ottawa, Ontario

Monsieur,

J'avais récemment le plaisir d'applaudir les danseurs de la troupe Moiseyev lors de leur dernier passage à Montréal. Point n'est besoin d'insister sur la valeur chorégraphique de la représentation. C'est un véritable enchantement.

Je me permettrai cependant d'ajouter les observations suivantes. Toute la documentation vendue aux portes d'entrée est exclusivement rédigée en anglais. C'est inadmissible dans un État francophone comme le Québec. Pourquoi ne pas distribuer, à Montréal, les imprimés qu'on destine ordinairement aux spectateurs des métropoles françaises à travers le monde ? Il y a plus. Avant la tombée du rideau, les artistes, réunis sur le plateau, ont exécuté quelques mesures de deux pièces folkloriques américaines : *The gang's all here* et *Turkey in the straw*. Voulait-on nous flatter ? Quoi qu'il en soit, ces refrains populaires américains n'ont absolument rien de commun avec la littérature orale du Québec. C'est un impair regrettable que celui de nous identifier aux Américains. En passant, l'Amérique septentrionale groupe plusieurs pays qui sont habités par autant de nations différentes. Les responsables d'une troupe internationale ne doivent pas l'ignorer.

Je vous serais obligé de bien vouloir transmettre ces quelques observations au directeur concerné. Voudra-t-il en tenir compte lors d'une prochaine visite à Montréal le printemps prochain ?

Bien vôtre,

Robert-Lionel Séguin

Au cours de ces années où Lionel produit à un rythme effréné, il trouve quand même le temps, en 1970, d'agir comme membre du jury au concours Mademoiselle Québec organisé par *Photo-Journal*, dont la grande finale est télévisée par Radio-Canada. À ceux qui s'interrogent sur sa présence à l'événement, Lionel réplique en riant : « Si personne ne s'étonne de voir l'académicien Marcel Achard agir comme membre du jury au concours Miss France, pourquoi s'étonnerait-on de mon rôle de juré au concours Mademoiselle Québec ? »

En cette fin de décennie qui vient de propulser Robert Bourassa au pouvoir, en même temps qu'éclate la Crise d'octobre, Lionel n'arrête pas, tant professionnellement que socialement. L'atmosphère d'inquiétude qui règne au Québec le préoccupe. Il saisit toutes les occasions qui lui sont données pour faire connaître ses opinions sur la honte d'un peuple écrasé, d'un peuple qui a peur : « Peur du ridicule. Peur de passer pour des ignorants. Peur du clergé et du péché. Peur d'oser, d'agir et de parler. » Pour Lionel, la peur n'est pas le commencement de la sagesse, mais plutôt le début de la médiocrité, du laisser-aller. « Aujourd'hui, écrivait-il, les Québécois commencent à relever la tête. Mais nombreuses sont les traces laissées par la peur et la honte. »

Mais toutes ses activités et le climat survolté ne l'ont pas empêché d'enrichir ses collections. C'est surtout à partir de 1970 que Lionel commence à montrer ses collections aux chercheurs, aux étudiants et à la presse. Il est intarissable sur l'origine et l'histoire des instruments aratoires, sur l'équipement de ferme, enfin sur tous les trésors glanés un peu partout au Québec et au pays des aïeux. S'il a pu ramasser tout ce matériel agricole, énorme ou petit, c'est aussi parce qu'à l'époque bien peu s'intéressaient à acquérir ce que d'autres qualifiaient de vieilleries sans valeur.

Ses remises sont pleines à craquer. Dans une, on trouve bien rangés, classés, étiquetés, tous les instruments aratoires : batteuses, cribleuses, râteleuses, « herseuses », charrues à rouelles... Une autre, construite par le beau-frère Réginald Carrière, abrite des traîneaux à la douzaine montés sur patins, qui servaient au facteur ou au boulanger, au transport des passagers ou des marchandises. Il y a aussi quantité de carrioles, de cabriolets, de jougs ou de pièces d'attelage pour les bœufs : jougs de tête, de garrot, d'encolure, jougs simples ou jouguets destinés à une seule bête. Dans un coin, un canot taillé et creusé dans un tronc d'arbre évoque la pirogue africaine ou sud-américaine : pour traverser un cours d'eau, on s'y tenait debout et on le faisait avancer à l'aide d'un long morceau de bois.

Quand il parlait du passé, Lionel a toujours déploré que : « Nos ancêtres avaient la manie de la hache. N'ayant aucune notion de ce qui constituait un patrimoine national, ils pouvaient se débarrasser de tout ce qui était vieux... On détruisait à coup de hache des meubles, des maisons de bois, des outils. On faisait place à du moderne. Ici, on a toujours vécu à l'envers du bon sens ; à vivre anormalement, on est devenus anormaux dans bien des domaines. Si bien qu'on jette les hauts cris sur les cotes dont bénéficient les meubles et les objets antiques alors que les cotes de marché existent depuis toujours partout ailleurs dans le monde. »

Dans la troisième remise : des rouets, petits, rudimentaires et d'autres plus grands et sophistiqués, des métiers à tisser, des outils de toutes sortes. Lionel est un vrai connaisseur, ce n'est pas l'accumulation d'objets qui l'intéresse, mais bien l'objet lui-même. Quand il fait l'acquisition d'un deuxième métier à tisser qui semble identique au premier aux yeux du profane, c'est que le deuxième a un cadre supérieur dit « à potence », c'est-à-dire que les deux montants perpendiculaires principaux sont aidés par un autre montant de soutien, en diagonale.

Dans une pièce attenante à cette remise, on découvre une quantité d'outils de fer ou de bois, parmi lesquels un javelier de plus de cent ans, une espèce de faux à panier pour couper le foin et faire l'ondin ; un outil qui exigeait beaucoup de force, de souplesse, d'adresse et d'endurance. Et encore des poêles de fonte noire, à deux ponts, et, accrochés aux murs, des scies, des haches et des couteaux. Tous objets minutieusement étudiés par Séguin pour retracer l'histoire de la civilisation québécoise dans un contexte bien précis, celui de la vie quotidienne de « l'habitant », et qui lui ont inspiré de nombreux ouvrages notamment sur les fermes et les granges du Québec.

Pour finir, deux petites maisons de pièce sur pièce, recouvertes de chaume, attendent le visiteur. Elles ne comprennent qu'une seule pièce où le poêle à bois d'époque trône au milieu de l'endroit ; une longue table de pin – les familles étaient nombreuses – attend les gourmands à toute heure du jour, puis une superbe armoire à pointes de diamant est remplie de vaisselle et d'ustensiles de cuisson, souvent en étain, matière la plus usuelle et peu coûteuse.

Buffets et garde-manger servent d'écrins à une multitude de cuillères, assiettes, écuelles, ustensiles jadis ordinaires maintenant devenus objets précieux. Certains sont taillés dans le bois, tels les gamelles, les terrines, les couloirs à fromage comme ceux du Dauphiné et de la Savoie. Un petit escalier de bois grimpe au grenier à pignon mansardé où se trouvent un lit à baldaquin, des images pieuses, une lampe à huile, même un prie-Dieu avec missel et chapelet entremêlés.

La recherche du temps passé a commencé tôt chez Lionel :

Je me suis d'abord intéressé à la numismatique, dès mon jeune âge. Vers 1930, c'était très populaire ici, on pouvait encore trouver de belles pièces. Ensuite, je me suis mis à collectionner les timbres. Ç'a été important pour moi de commencer ainsi car cela m'a ouvert l'esprit, comme on dit. Finalement, j'en suis arrivé aux jouets, aux costumes, aux livres et aux lettres, comme celles du général Montcalm que je garde précieusement. Plus tard, à trente ans, ce sont les vieux meubles québécois qui m'ont attiré. Ça ne s'est jamais arrêté ce goût de fouiller les greniers, les hangars, les bibliothèques. Pour bien illustrer ma pensée : ce n'est pas parce qu'un pot à barbe a appartenu à sir Wilfrid Laurier qu'il m'intéresse, c'est le pot même qui éveille mon intérêt : qui l'a fabriqué? selon quelles techniques? avec quels matériaux? quel était son usage?

CHAPITRE 10

Paris et la France

Quand Robert-Lionel Séguin met le pied en sol français pour la première fois en 1961, c'est d'abord pour découvrir le pays de ses ancêtres, pour étudier les variantes d'outils et d'objets de la technologie agricole et du textile. Bref, c'est pour connaître les origines de la charrue autant que de la catalogne. Il revient de ce séjour d'un mois complètement émerveillé.

Quel pays riche pour l'historien, pour l'amateur de musées : «Dès le premier jour, nous sommes entrés au Louvre, raconte Huguette, et nous y sommes retournés cinq jours sur sept pour y voir les antiquités grecques, romaines, égyptiennes, orientales, sans oublier la *Vénus de Milo* et la *Joconde.*»

Toujours méthodique, Lionel a planifié son séjour en scrutant Michelin et compagnie, pour ne rien manquer de tous les endroits qu'un touriste averti veut voir. Mais sur place, c'est une véritable course contre la montre : il y a Paris, ville unique, et ses vingt siècles d'histoire, or Lionel n'avait pas compté toutes les heures qu'il lui faut ajouter pour fouiner chez les bouquinistes, dans l'espoir d'y trouver quelques incunables, quelques gravures anciennes..., ni tout le temps passé à chiner au marché aux puces de Saint-Ouen, à la recherche de la bonne affaire, du coup du siècle.

Les anecdotes sont innombrables sur les puces : on raconte que la grande Colette y aurait trouvé le portrait de sa grand-mère volé à ses parents; un tel aurait payé 20 francs un tableau de Fragonard, *La chemise enlevée*; un autre aurait acheté une copie de meuble et aurait découvert par la suite qu'il s'agissait d'un meuble signé du nom d'un grand ébéniste du 18e siècle, etc. Les puces, c'est aussi le plus grand magasin d'accessoires des réalisateurs de cinéma ou des directeurs de théâtre : pour un lit à baldaquin, une chaise à porteurs, un téléphone 1900, un ancien phonographe ou un orgue de Barbarie, c'est là qu'il faut aller. Certains vont à Saint-Ouen comme d'autres aux courses ou au casino; Lionel est de ceux qui en prennent vite l'habitude.

En 1973, le 19 novembre, lors d'un autre séjour en France, Séguin reçoit le prix France-Québec pour *La vie libertine en Nouvelle-France au XVIIe siècle*, en présence du délégué général du Québec, Jean Chapdelaine, du conseiller culturel à la Délégation, Pierre de Grandpré, du président de l'Association des écrivains de langue française, Robert Cornevin, et des membres du jury présidé par Henri Queffelec, dont François Hertel, Évelyne Dumas et Gérald Robitaille. Au moment de la parution de l'ouvrage, certains avaient critiqué que l'ethnologue s'intéresse à des sujets si frivoles : plaisirs d'alcôve, histoires gaillardes, mœurs intimes :

La prostitution devient de plus en plus rentable avec l'augmentation constante de la population masculine. L'année 1675 semble particulièrement propice à ce commerce, alors que militaires, coureurs de bois et voyageurs sont nombreux dans tous les centres de la colonie. La nouvelle traverse les mers. Des «filles» de France viennent tenter fortune sur les bords du Saint-Laurent. Gardiens de la morale, les membres du Conseil souverain nomment le sieur Dupont au poste de commissaire enquêteur pour recevoir les dépositions sur les scandales et les «mauvais comportements de certaines femmes qui se sont introduites dans la haute et la basse ville de Québec depuis l'arrivée des vaisseaux». Il en faudra davantage pour abolir le marché des amours.

Selon Carmen Roy, du Musée national de l'homme, à Ottawa :

À notre connaissance, personne n'a eu le courage de Robert-Lionel Séguin lorsqu'il a écrit, pour une de ses thèses de doctorat, *La vie libertine en Nouvelle-France au XVIIe siècle*. Il nous en a parlé maintes fois de ce passé, par comparaison à notre culture contemporaine; mais nous ne pouvions imaginer alors qu'il nous présenterait, avec des documents sérieux à l'appui, ce qu'il racontait avec autant d'humour.

Bien sûr que *La vie libertine...* est allée loin dans ces considérations, mais il serait difficile, sinon impossible, de nier cette vaste séquence de vie des habitants en Nouvelle-France.

Cette thèse de Robert-Lionel Séguin sur le libertinage en Nouvelle-France au 17e siècle a été présentée à la Sorbonne pour l'obtention du doctorat d'État ès lettres et sciences humaines.

La soutenance eut lieu à Paris, le 14 juin 1972. Présidé par Jacques Soustelle, ex-ministre et directeur d'études, le jury groupait également MM. Hubert Deschamps, ex-gouverneur de la Côte-d'Ivoire et de la Somalie, Yves Person, professeur d'histoire à la Sorbonne, et Jean Guiart, ex-directeur des Sections d'ethnologie à la Sorbonne et au Musée de l'homme à Paris. Le jury décerna à Robert-Lionel le titre de docteur ès lettres et sciences humaines avec la mention «très honorable».

Durant ce séjour à Paris, Séguin prononce quelques conférences. À l'Académie des sciences d'outre-mer, le 16 novembre 1973, il traite de *L'esprit d'indiscipline en Nouvelle-France*; à la Société des écrivains français, le 22 novembre, il parle des *Divertissements en Nouvelle-France*. Au Musée national des arts et traditions populaires (A.T.P.), Lionel commente le film ethnographique *Le faiseur de violons*. C'est à ce moment qu'il fait plus ample connaissance avec Jean Cuisenier, le conservateur en chef du réputé musée qui lui fait visiter son nouveau musée-laboratoire, ouvert l'année précédente, en plein bois de Boulogne. Ce grand bâtiment de verre et d'acier remplace l'ancien Musée des A.T.P., fondé en 1937, autrefois situé dans les sous-sols du Palais de Chaillot. Lionel est on ne peut plus dans son élément dans ce temple consacré aux diverses expressions de la culture populaire à travers les témoignages vivants du passé !

Tous ces objets représentatifs de la France préindustrielle exposés par catégories, selon leurs variétés typologiques, dans des vitrines, montrent bien que ce que l'on désignait autrefois comme le folklore est devenu aujourd'hui les arts et traditions populaires. Cela comprend pour Cuisenier et Séguin l'étude de l'homme dans son milieu naturel, en envisageant toutes ses productions : littérature populaire, contes et légendes, chants, danses, costumes, mais aussi son économie à travers les moyens artisanaux et leur production, la chasse et la pêche, les types d'habitat, les jeux et coutumes, les cellules d'une communauté villageoise, leurs structures, les croyances, les superstitions et même la sorcellerie.

Comme on peut le constater, ce domaine est vaste et difficile à circonscrire ; il concerne des choses modestes et populaires bien souvent en voie de disparition mais essentielles, car c'est à travers elles que se définit une civilisation. Il n'y aurait pas loin de cette énumération à la description du grenier de nos grands-parents, d'un super bricà-brac ou des éventaires du marché aux puces. En fait, le Musée des arts et traditions populaires a pour but de montrer que tous ces témoins de notre civilisation appartiennent à un vaste programme.

Jean Cuisenier n'a pas eu fort à faire pour convaincre Séguin qu'un musée d'ethnographie est aussi un laboratoire destiné à étudier, à prospecter, à recueillir sur le terrain des renseignements vivants, susceptibles de mieux nous faire comprendre les mutations de notre société, celle encore de nos grands-parents, de nos parents et la nôtre. Ce rêve, Lionel le caresse depuis très longtemps. À partir de cette année-là, en 1973, il n'arrêtera jamais de revendiquer pour le Québec un musée des arts et traditions populaires.

En 1979, Lionel présente au Musée des arts et traditions populaires, à Paris, son exposition « Se vêtir au Québec » qui soulève beaucoup de curiosité, comme le souligne Florence Breton dans *Le Monde* :

> La fabrication artisanale des tissus démarra lentement et l'étoffe de pays devint un symbole national. À l'Assemblée du Québec, aux alentours de 1833, les parlementaires patriotes s'habillent de tissu domestique pour défier l'occupant britannique.

> Mais l'habitant exploita aussi tous les matériaux dont il disposait dans son environnement immédiat. Le bois de la forêt québécoise dont il faisait des sabots et des raquettes ; la paille de blé dont il confectionnait les chapeaux ; le lin et la laine.

> Les vêtements qui sont présentés sont rugueux, grossiers, maladroits. Jupes de laine rayées ou quadrillées, châles, chemises écossaises. L'homme portait des jarretières aux couleurs vives. L'accessoire le plus original et le plus joli est la ceinture « fléchée » rouge et blanc de la région de L'Assomption. Mais, curieusement, la fourrure était peu portée et surtout utilisée comme doublure.

Tout leur habillement, les habitants du Québec le fabriquaient eux-mêmes. Ils tissaient, filaient, cardaient la laine, et on peut voir tous ces instruments, dont le plus curieux est une baratte qui servait à réutiliser les vêtements usagés. Contrairement à notre société moderne où l'on jette beaucoup, cette exposition montre comment les hommes et les femmes parvenaient à subvenir eux-mêmes à leurs besoins.

❖

Lionel prend vite l'habitude de retourner en France, non plus seulement à Paris, mais dans toutes ces vieilles régions où, souvent, le passé se mêle encore au présent.

Là-bas, comme ici, Lionel peut compter sur un réseau de fidèles à la recherche de tout trésor susceptible d'enrichir sa collection. Un libraire, devenu un ami, Paul Jammes, l'informe de tout livre spécialisé ou de parutions nouvelles qui permettent à Séguin de maintenir ses connaissances à jour. L'antiquaire Aliette Texier, de son côté, lui réserve des pièces d'art populaire.

CHAPITRE 11

Trois-Rivières

L'arrivée de Robert-Lionel Séguin à la nouvelle Université du Québec à Trois-Rivières (UQTR), en 1969, marque un tournant dans sa vie. C'est enfin l'endroit qu'il cherchait pour y faire son nid. Dans ce nouveau décor où l'enthousiasme est palpable, avec des collègues qui, pour la plupart, deviendront des amis, il plonge dans son travail avec la ferveur du néophyte. Presque tous les matins, il se rend en voiture à Montréal où il saute dans l'autobus qui va à Trois-Rivières; il profite de ce trajet pour réviser des notes de cours ou des travaux. Ces longs déplacements quotidiens grugent une bonne partie de son temps, sans compter la fatigue qu'ils suscitent; mais heureusement pour Lionel, quatre courtes heures de sommeil par nuit lui suffisent pour se reposer. De toute façon, Lionel est ravi de son nouvel environnement, la distance est le cadet de ses soucis.

Dès son arrivée à l'université, l'accueil qu'il y reçoit est plus que sympathique. Le professeur Maurice Carrier, qui a joué un rôle important dans la création de l'UQTR, a tout mis en œuvre pour que Séguin vienne lui prêter main-forte. Quand les deux hommes, passionnés d'histoire, se retrouvent dans le bureau du recteur Gilles Boulet, c'est l'osmose parfaite entre eux. Ils nouent, dès cet instant, des liens étroits; à peine quelques mots leur permettent de

117

constater qu'ils ont des rêves communs qu'il leur tarde de réaliser au plus tôt.

Avant cette rencontre placée sous le signe de la confiance et de l'amitié, Gilles Boulet connaissait surtout Séguin comme l'auteur de *La civilisation traditionnelle de l'habitant...* Il le considérait déjà comme le premier véritable ethnologue québécois. Pour le reste, Maurice Carrier s'était chargé de lui résumer les accomplissements de Lionel : recherches, collections, expositions, cours, toutes activités menées avec l'obstination du passionné qui ne se laisse pas arrêter par quelques obstacles rencontrés sur sa route. Cette admiration était réciproque et Lionel n'a eu sa vie durant que de bons mots pour Maurice Carrier et Gilles Boulet.

Celui-ci se remémore très bien les premières impressions de sa rencontre avec Lionel et il en livre un portrait admirable de justesse : « Les yeux pétillants, le verbe saccadé, les mots crépitant comme la pluie d'octobre sur un toit de tôle, le souffle en difficulté d'avoir à suivre un tel flot de paroles, l'hésitation de temps à autre comme si cette parole n'arrivait pas à son tour à suivre le déroulement de la pensée, il me parla de civilisation traditionnelle. Tout y passa, les vêtements, les courtepointes, les manuscrits, les volumes, les outils, les documents notariés, les publications, les musées, tout... »

Quand Gilles Boulet avait convaincu Robert-Lionel Séguin de travailler à l'UQTR, celui-ci avait vu avec quelques-uns de ses collègues l'occasion de développer un secteur d'études québécoises qui deviendrait une des caractéristiques et un des points forts de la nouvelle institution. Ces érudits étaient à même de constater à quel point l'ethnologie québécoise était un domaine lacunaire, surtout dans les universités québécoises francophones.

« Avec Séguin, c'était le rêve à la portée de la main », écrit Gilles Boulet. L'idée fit rapidement son chemin. Dès l'automne 1970, le Centre de documentation en civilisation traditionnelle fut créé à l'UQTR. Avec deux recherchistes, un photographe et une secrétaire, Séguin commença le dépouillement systématique des archives notariales et bailliagères des 17e et 18e siècles. On y ajouta des archives visuelles : photographies, illustrations, devis sur la technologie, les mœurs, les costumes et la vie d'antan au Québec.

Jusqu'en décembre 1971, Séguin est détaché du ministère des Affaires culturelles du Québec qui le prête à l'UQTR. Après cette date, il devient officiellement professeur au Département d'histoire. Le Centre continue toutefois, sous sa direction, à constituer les fichiers les plus complets qu'on puisse imaginer sur les éléments fondamentaux de notre civilisation.

Comme c'est le cas dans les milieux universitaires, et dans bien d'autres milieux d'ailleurs, il faut composer avec des données budgétaires, qui sont souvent irritantes, bien qu'indispensables, pour les chercheurs. Séguin, avec sa manière franche, ses idées novatrices, n'a pas toujours le tact et la diplomatie dont il faudrait faire preuve dans ces circonstances.

Maurice Carrier résume bien le caractère de Lionel : «Séguin était un être pétri de sensibilité, de générosité, d'humour aussi. Tous ceux qui l'ont approché conviendront qu'il était bon enfant. Sans porte arrière. Taillé dans ce bois qui s'animait en ses mains, qu'il soit mancheron de charrue ou moule à sucre du pays. Un être capable de vibrer devant toute expression de la beauté, de la bonté aussi...»

Mais un être capable de manifester son désaccord quand il le faut. «Buté, acharné, Séguin frappe à toutes les portes et vient se confier, parfois se plaindre chez moi, raconte Gilles Boulet. Ce qui importe, c'est que le Centre continue avec ses hauts et ses bas, avec son personnel qui diminue parfois, et qui augmente quelquefois... Il se développe pourtant, atteint les 200 000 fiches, attire des étudiants de maîtrise et de doctorat, des spécialistes de l'ethnologie du Québec, du Canada et des États-Unis. »

Lors de la cérémonie du 5 octobre 1970, qui marque officiellement la naissance du Centre de documentation, Maurice Carrier, l'initiateur du projet, et Jean-Louis Longtin, des Affaires culturelles du Québec, insistent pour souligner les mérites du nouveau directeur du Centre dont la tâche couvrira tous les aspects du milieu matériel, notamment le costume, les instruments aratoires, l'outillage artisanal, ainsi que les principales coutumes touchant l'acquisition, l'administration, la conservation du patrimoine, la gastronomie...

Tout en donnant des cours d'ethnologie québécoise à compter de 1972, Lionel continue d'écrire, d'inventorier, de publier. Ainsi, le 20 février 1973, les éditions Leméac lancent à la brasserie Le Gobelet, du boulevard Saint-Laurent à Montréal, *Les ustensiles en Nouvelle-France* et *La vie libertine en Nouvelle-France au XVIIe siècle.*

La cuisine québécoise a toujours été bien garnie d'ustensiles de toutes sortes. Les hommes de Cartier, qui appareillent à Saint-Malo au printemps de 1541, disposent de « tous les vtensilz » nécessaires à la cuisson, à la consommation et à la conservation des aliments. Plus tard, en 1619, nombre de choses indispensables à la vie quotidienne sont envoyées à l'« abitation » de Québec.

Retenons :
Pour le feruice de la table du Chef, 36. plats, autant d'efcuelles & d'affiettes, 6 falieres, 6. aiguieres, 2. baffins, 6. pots de deux pintes chacun, 6. pintes, 6. chopines, 6. demy-feptiers, le tout d'eftain, deux douzaines de nappes, vingt-quatre douzaines de feruiettes.

Pour la cuifine, vne douzaine de chaudieres de cuiures, 6. paires de chefnets, 6. poifles à frire, 6. grilles.

120

En 1975, paraît la *Revue d'ethnologie du Québec*, la première du genre, sous la direction de Robert-Lionel Séguin, qui écrit en guise d'introduction dans cette publication bien documentée et illustrée :

Le Québec témoigne d'un intérêt de plus en plus marqué pour la recherche ethno-historique. C'est fort bien, surtout si l'on songe au temps – relativement récent – où le retour aux sources n'intéressait à peu près personne. Tout peuple colonisé n'a-t-il pas tendance à cacher ses origines ? Découvrant graduellement son identité et sa mission, le Québec devait normalement se tourner vers sa civilisation traditionnelle pour en cerner les mille et un aspects. C'est faire preuve de maturité.

Pareille initiative revient, du moins pour une large part, au centre documentaire en civilisation traditionnelle de l'Université du Québec à Trois-Rivières. Depuis quelque quatre ans, la vie quotidienne d'antan et ses implications sociales, économiques et juridiques y sont consignées, bribes par bribes, par le biais du dépouillement systématique des archives notariales et bailliagères autant que par la cueillette de matériaux visuels et sonores sur le terrain.

Mais la mission du Centre n'est pas uniquement de cataloguer et de conserver ce fonds documentaire sur la culture matérielle. Encore doit-il le rendre accessible à tous. Les *Cahiers d'ethnologie du Québec* répondent à cet impératif de culture populaire. Consacrée à la publication d'études folkloriques, ethnologiques, ethnographiques et historiques, une telle collection favorisera la «découverte» de notre civilisation traditionnelle. C'est inculquer à tous une plus grande fierté de la patrie québécoise.

Parmi les collaborateurs au premier numéro de la revue, on trouve : Maurice Carrier, Luc Noppen, Monique Vachon, Jules Martel et Raymond Pelletier. S'ajoutent aux numéros subséquents : Claude Lessard, Jacques Nadeau, Jean-Paul Massicotte, Jacques Belleau et bien d'autres.

Comme il le fait depuis tant d'années, Lionel se consacre à la conservation des innombrables petites choses qui témoignent d'une civilisation, à leur connaissance, à leur signification. Il met sur pied de remarquables expositions de jouets anciens, de catalognes et de courtepointes au Québec et en France. Il profite aussi de toutes les occasions qui lui sont offertes de faire connaître ses acquisitions à l'étranger.

Invité à participer au Premier symposium d'ethnologie euro-américaine, il s'envole pour le Mexique, en 1974, pour y prononcer une conférence, au Musée d'anthropologie, sur l'*Apport européen à la civilisation traditionnelle du Québec*. Il avait aussi prononcé une autre causerie à Paris, au Premier congrès international d'ethnologie européenne, en 1971.

À six reprises, Lionel fait un stage de quelques semaines au Musée des arts et traditions populaires de Paris, où il travaille sous la direction d'ethnologues et de folkloristes aussi réputés que Georges-Henri Rivière, alors conservateur du musée (avant Jean Cuisenier), Jean-Michel Guilcher et surtout Jean-Brunhes Delamarre, reconnu comme l'autorité européenne en technologie et en équipement agraires. Sitôt revenu au Québec, Séguin s'empressait de faire des rapports précis sur ses voyages aux autorités de l'UQTR.

La ferveur habite l'œuvre scientifique de Robert-Lionel Séguin. Une ferveur qui tient du levain. « Travailleur acharné, écrit Maurice Carrier dans la revue *En tête*, de l'UQTR, il est de la race des artisans dont l'atelier regorge de copeaux, de la famille des tisserandes dont le métier claque encore dans la mémoire des petits enfants... Il n'obéit qu'à une passion, certes, mais avec fougue : connaître, s'expliquer, partager. Partager son savoir comme un pain... Son œuvre écrite, près de 10 000 pages, une vingtaine de livres et deux romans encore inédits... »

C'est au cours des années 70 et 80 que l'on reconnaît la grande valeur de la collection de Robert-Lionel Séguin, qui propose, le 14 mai 1979, que tout son matériel, en plus de servir à des travaux d'études et de recherches, soit utilisé pour des expositions auprès du public qui pourrait consulter rapidement ses archives figurées. En 1976, l'UQTR présentait aux Affaires culturelles du Québec un dossier étoffé, préparé par Gilles Boulet, André Héroux et Guy Godin, frère de Gérald. Dans l'esprit de ces instigateurs, un musée des arts et traditions populaires, sous cette appellation ou une autre, serait appelé à devenir un lieu privilégié de retrouvailles où les citoyens iraient, comme en pèlerinage, pour y retrouver, ou y chercher, leurs racines.

Jusqu'en 1979, les discussions s'étirent quant à l'acquisition de la Collection Séguin par l'UQTR, qui cherche auprès du gouvernement du Québec un appui financier. L'ethnologue est prêt à se départir de certaines pièces qui pourraient être déposées ou exposées dans une vieille maison appropriée de Trois-Rivières ou dans certains locaux sur le campus de l'université. Cela n'empêcherait pas Lionel de continuer ses travaux chez lui. Le recteur Louis-Edmond Hamelin, le vice-recteur à l'administration, François Soumis, le chef de cabinet, Jean Gagné, et de hauts fonctionnaires cherchent à trouver une solution acceptable pour tous.

De son côté, le président de l'Université du Québec, Gilles Boulet, redouble d'ardeur et continue de présenter des demandes pressantes auprès du ministère de l'Éducation, du Comité d'évaluation et de Séguin. Pour sa part, le maire de Québec, Jean-Paul L'Allier, alors ministre des Affaires culturelles, en 1975 et 1976, sous le règne de Robert Bourassa, avait saisi toute l'importance de ce musée réclamé à grands cris depuis quelques années. Mais ce n'est que le 16 novembre 1979, à l'occasion d'une cérémonie tenue au

Centre des archives nationales du Québec, à Montréal, que Denis Vaugeois, le ministre des Affaires culturelles dans le gouvernement de René Lévesque, annonce que la Collection Robert-Lionel-Séguin vient d'être désignée comme bien culturel.

La reconnaissance officielle du fonds Séguin par les Affaires culturelles rejoint les objectifs des Archives nationales qui font état, depuis 1971, de l'importance de garder sur place le patrimoine archivistique et d'avoir accès à un instrument de recherche unique, autant qu'à une mine de renseignements patrimoniaux d'une richesse inestimable.

> On ne peut ignorer, écrit Ginette Côté dans un communiqué ministériel des Archives nationales, le caractère tout à fait exceptionnel de certaines pièces de cette collection; mentionnons, à titre d'exemples, la monnaie de cartes du Régime français et une adresse datée de 1772. On trouve également dans la section «histoire du Québec» des actes notariés originaux dont certains se rapportent aux événements 1837-1838; sur l'histoire de Vaudreuil-Soulanges. La collection contient, en plus de livres comptables de marchands et de registres municipaux ou scolaires, des papiers de famille couvrant la période 1750-1960. Les papiers personnels regroupent les nombreux travaux de la riche carrière de Robert-Lionel Séguin et les papiers divers comprennent des actes notariés et des coupures de presse couvrant trois siècles d'histoire et classés dans l'ordre alphabétique des sujets.

> Conservé à Rigaud, le fonds Robert-Lionel-Séguin est rattaché au centre régional des Archives du Québec à Montréal. On connaît la vocation de diffusion des centres régionaux. Le centre régional de Montréal, né en 1971, reçoit cinq à six mille personnes par année. En plus de posséder l'un des laboratoires de restauration de documents les plus modernes en Amérique du Nord, le

Centre voit à la diffusion des documents au moyen de services d'exposition et de consultation sur place. Le système d'informatique permet de plus d'avoir accès à la documentation rattachée aux autres centres régionaux.

Pour en arriver à une entente satisfaisante entre les différents partenaires éventuels, dans les plus courts délais, Séguin se voit dans l'obligation de consulter des hommes de loi. En 1979, il confie à Taillefer, Taillefer et Pigeon le mandat de s'occuper des différentes modalités relatives à la vente de sa collection. Le 4 mars 1980, Séguin demanda à Me Pigeon de suspendre les négociations et de considérer son mandat comme terminé.

Puis le 22 avril 1980, Robert-Lionel convient de vendre à l'UQTR les biens de sa collection comme un tout indivisible. Ce qui met fin à toutes les offres alléchantes venues de Toronto, d'Ottawa et même des États-Unis, surtout d'un grand musée de Washington; Shirley Thomson, directrice du Musée McCord, à Montréal, se rend à Rigaud dans le but d'acquérir la collection. Dans une lettre datée du 25 février 1982, elle écrit à Séguin : «... J'ose quand même espérer que votre collection sera abritée quelque part au Québec où les chercheurs et le public pourront la consulter. »

Toutes ces négociations, contraintes et tractations compromettent le retour à la santé de Séguin qui est aux prises avec de sérieux problèmes cardiaques. Il vient de faire deux séjours à l'hôpital et tente de dissimuler son état à ses proches, mais il n'ignore pas que ses jours sont comptés. C'est pourquoi il cherche à régler rapidement le sort de sa collection, qu'il ne voudrait pas voir s'envoler du Québec. Il confie alors un mandat à Me André Brunelle, qui reprend l'affaire en main et en viendra à mettre d'accord les parties. Malheureusement, cette entente se fera très tard, trop tard pour Séguin qui n'est plus.

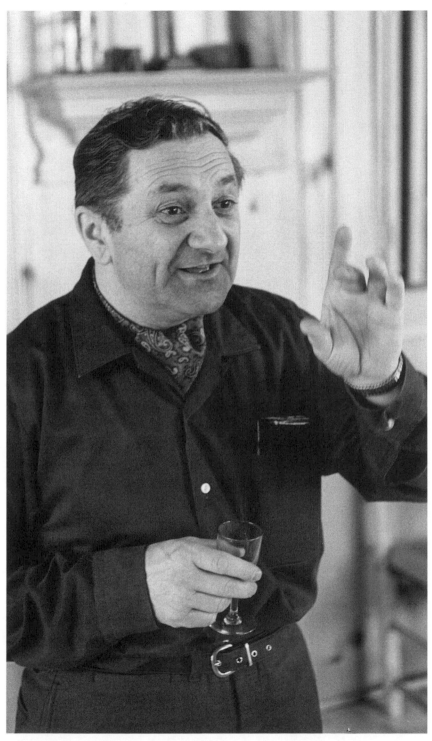

«Écoutez-moi bien mes chers amis...», semble vouloir dire Lionel
dans une pose bien caractéristique.   *(Photo Office du film du Québec)*

Lionel écrit à sa maman.

La scène se passe en Bretagne, lors du grand pardon de Notre-Dame-de-Penhors. Lionel trouve toujours le temps d'envoyer des lettres ou des cartes postales à Marie-Jeanne, sa mère.

PORTUGAL... Un petit
trésor d'Alcobaça.

ESPAGNE... Huguette et
Lionel Séguin, Pauline et
Marcel Brouillard devant la
Giralda à Séville.

FRANCE... Dans les rues de
Paris...

MEXIQUE... Lionel revêt le
costume de circonstance.

Lionel et Huguette Séguin à Séville, en Espagne, dans un décor architectural à leur goût.

Lionel en compagnie de Bretonnes, du côté de Quimper où l'on porte
avec fierté la coiffe paysanne. Jacqueline Poirier et Pauline Brouillard,
à droite, sont du voyage.

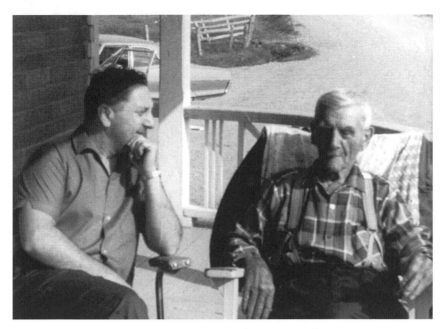

À Baie-Saint-Paul, au Cap-au-Corbeau, en 1968, Lionel s'entretient avec Joseph Dufour, qui lui explique la technique du four en terre battue.

À chacune de leurs visites dans Charlevoix, Lionel et Huguette s'arrêtaient toujours chez leurs amies Cécile et Jeannine Bouchard à Saint-Irénée.

Le 19 novembre 1973, à Paris, Robert Cornevin, président de l'Association des écrivains de langue française, remet à Robert-Lionel Séguin le prix France-Québec. À droite du récipiendaire : Jean Chapdelaine, alors délégué général du Québec à Paris.

Lionel dans son salon, à Rigaud, où l'on peut voir une parcelle de sa gigantesque collection.

Lors de l'exposition de Séguin sur les catalognes et courtepointes du Québec à Paris, en 1975, Jean Cuisenier, Jean Chapdelaine et Robert Cornevin félicitent chaleureusement le grand collectionneur.

Robert-Lionel Séguin trace le portrait du Québec, en 1976, à Alain Peyrefitte, alors ministre des Affaires culturelles de France.

(Photo Max Micol)

Huguette et Lionel en compagnie des responsables de l'exposition de Séguin, *Se vêtir au Québec*, tenue au Musée des arts et traditions populaires de Paris, en 1979.

Robert-Lionel, gagnant du prix Duvernay, en 1975, est invité à signer
le livre d'or de la ville de Trois-Rivières, en présence du maire Gilles
Beaudoin, du président du réseau de l'Université du Québec, Gilles
Boulet, du président de la Société Saint-Jean-Baptiste de Montréal,
Jean-Marie Cossette, et du poète Gaston Miron.

Lors des cérémonies marquant l'acquisition de la Collection Séguin
par l'UQTR, on retrouve Gilles Boulet, le ministre Jacques-Yvan
Morin, Huguette Servant-Séguin et le recteur Louis-Edmond
Hamelin.   *(Photo Roméo Flageol)*

Robert-Lionel Séguin et Maurice Carrier, directeur scientifique de la Collection Séguin, jettent un coup d'œil sur le fichier de documentation de l'UQTR.

(Photo Roland Lemire)

Un bref aperçu de la collection entreposée à Rigaud.

(Photo Claude Demers)

Des outils à profusion... à Rigaud.

On démonte la petite grange à toit de chaume pour la transporter de Rigaud à Trois-Rivières.

Lionel commente une photo de son livre *Les jouets anciens du Québec* paru en 1969.

C'est aux Îles-de-la-Madeleine que Lionel a fait l'acquisition de cette baraque maintenant installée derrière le Musée des arts et traditions populaires du Québec, à Trois-Rivières. *(Photo Pierre Rastoul)*

Ce n'est pas un jeu d'enfant que de démonter et de remonter cette grange à encorbellement...

... on peut la visiter au Musée des arts et traditions populaires du Québec à Trois-Rivières.

Robert-Lionel Séguin a fait l'acquisition de ce marche-à-terre en 1966. Il provient de la ferme de Joseph-Didier Tremblay, de Saint-Irénée (Charlevoix). On peut l'admirer dans toute sa splendeur au Musée des arts et traditions populaires du Québec à Trois-Rivières.

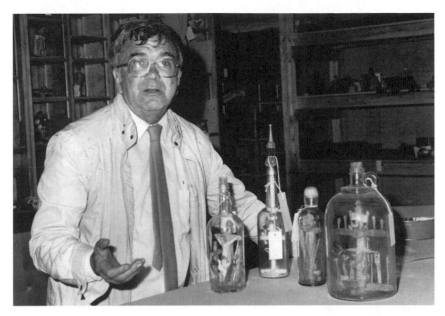

Grâce à Maurice Carrier et à toute l'équipe du Musée des arts et traditions populaires du Québec à Trois-Rivières, on pourra pour un temps illimité admirer la riche Collection Séguin.

(Photo Terry Charland)

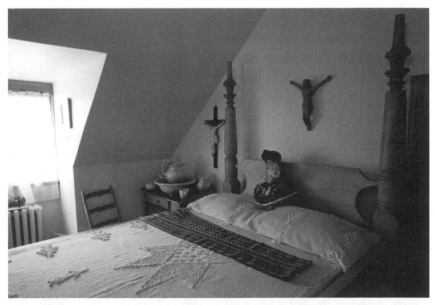

Un vrai musée que la maison de Robert-Lionel Séguin à Rigaud. Hier et encore aujourd'hui...

Le Musée des arts et traditions populaires du Québec et la Vieille Prison de Trois-Rivières sont situés à l'angle des rues Hart et Laviolette.

CHAPITRE 12

Du prix Duvernay au National Geographic

« Le premier historien de l'homme au Québec », tel que l'a fixé sur pellicule le cinéaste Léo Plamondon, est fortement ému lorsqu'il reçoit le prix Duvernay de la Société Saint-Jean-Baptiste de Montréal, en ce lundi 9 février 1976. Ce grand prix est accordé annuellement, depuis 1944, à un écrivain dont l'œuvre et le rayonnement servent les intérêts du Québec.

En remettant également la médaille *Bene merenti de patria* au lauréat, le président de la SSJB de Montréal, Jean-Marie Cossette, a rendu un vibrant hommage à l'authentique Québécois qui, par ses écrits, ses activités, ses conférences, ses cours, a largement contribué à faire connaître, chez nous et outre-frontières, l'histoire, les coutumes et le patrimoine du peuple québécois.

> On ne se rend pas assez compte, affirme l'écrivain Jean Côté, jusqu'à quel point cette bonne vieille société, fondée en 1834, par Ludger Duvernay, est identifiée à notre histoire nationale. Si les francophones du Québec, et même d'ailleurs en Amérique, sont encore là, c'est pour une large part grâce à la Saint-Jean-Baptiste... Vouloir effacer la SSJB de notre passé, c'est du même coup arracher les plus belles pages de notre histoire nationale.

Comme un honneur ne vient jamais seul, quelques jours avant la remise du prix Duvernay, les autorités municipales de Trois-Rivières et l'UQTR rendent hommage à Séguin lors d'une réception à l'hôtel de ville, en présence du maire Gilles Beaudoin et du recteur de l'UQTR, Gilles Boulet. La liste des diplômes mentionnés dans l'éloge est assez impressionnante : doctorat ès lettres et histoire, de l'Université Laval, 1961 ; doctorat ès lettres et sciences humaines, de l'Université René Descartes, Sorbonne, Paris, 1972 ; diplôme d'études supérieures en histoire, de l'Université Laval, 1964 ; licence ès sciences sociales, économiques et politiques, de l'Université de Montréal, 1951. (Plus tard, en 1981, Robert-Lionel Séguin recevra aussi un doctorat ès lettres et ethnologie de l'Université des sciences humaines de Strasbourg, en France.)

Lionel apprécie le prix Duvernay plus que toutes les autres récompenses jusque-là cumulées : est-ce à cause de sa santé qui commence à se détériorer, même s'il n'a que 55 ans ? Beaucoup d'amis viennent lui rendre hommage, le féliciter, et Lionel est plus que jamais sensible à ces marques de gratitude et d'amitié. Dans son allocution, il trace un portrait juste de la situation de l'ethnologie au Québec :

Le 9 février 1976

À L'OCCASION DU PRIX DUVERNAY

À l'époque de mes vingt ans, le métier d'ethnologue n'était guère encombré au Québec. Il fallait être passablement «sonné», disait-on, pour s'intéresser à ces vieilleries et à ces «traîneries» que sont les mille et une choses de la vie traditionnelle. Comment suis-je arrivé à l'ethnologie, envers et contre tous ? C'est un long cheminement. Dans la prime jeunesse, il y a de ces événements et de ces faits qui marquent à jamais notre destinée. Le hasard a voulu que je naisse et que je grandisse dans un milieu riche de traditions et de coutumes folkloriques. Jeune, on m'amenait à la ferme ancestrale pour assister à des veillées, dont celle du Jour de l'an. Je restais de longues heures assis sur une marche de l'escalier du grenier. Que de fois j'ai combattu le sommeil pour regarder les danseurs et écouter les chanteurs. Folklores oral et matériel me paraissent fascinants, merveilleux. Il n'est pas impossible que ces premières impressions aient décidé de ma vocation d'ethnologue.

Chez nous, nulle discipline n'a été aussi ignorée, dédaignée, boudée que l'ethnologie. Comment expliquer ce mépris maladif de notre civilisation traditionnelle sinon par le contexte colonial dans lequel nous vivions? Comme tout colonisé, il fallait expliquer, justifier, excuser notre présence. D'où la nécessité de valoriser le passé, coûte que coûte. Comme si tout individu ou toute collectivité n'avait pas naturellement droit à son oxygène et à son espace vital.

Pendant de longues décennies, l'histoire n'ouvrira ses pages qu'aux dignitaires civils, militaires et religieux. Seuls y seront consignés les noms, les faits et les gestes des grands du temps. Les coutumes, les usages, les mœurs et les mille et une choses du travail quotidien seront autant de laideurs que l'on cachera soigneusement à l'occupant, à l'étranger.

J'ai toujours rejeté cette école conventionnelle. Les joies, les peines, les aspirations de la vie quotidienne m'ont révélé toute la grandeur de l'âme québécoise. C'est dans les choses simples que j'ai découvert le vrai visage de l'ancêtre, visage combien plus beau, plus grand, plus attachant que celui des personnages de l'histoire officielle. J'ai compris que les véritables bâtisseurs de pays sont plus souvent vêtus de guenilles que de dentelles. J'ai voulu revaloriser cet ancêtre, le sortir de sa légende et le replacer dans son véritable contexte. Cet ancêtre était capable de vibrer, de vivre intensément. Il aimait s'amuser, faire bonne chère. Il levait aussi allègrement le coude que le cotillon. C'était un être normal, intelligent, généreux, humain dont je suis fier.

Un besoin d'identité

Individuellement et collectivement, nous éprouvons le besoin grandissant d'une identité. Au fur et à mesure qu'on se débarrasse de la peur, nous nous interrogeons sur nos origines, sur notre vocation, sur notre mission. Qui sommes-nous? D'où venons-nous? Où allons-nous? D'où l'intérêt grandissant des Québécois pour l'ethnologie et le folklore. Justement parce que ces disciplines impliquent obligatoirement un retour aux sources. Pour tout peuple, est-il meilleurs outils d'affirmation que la culture populaire et la civilisation traditionnelle?

Longtemps tenus en veilleuse, ethnologie et folklore matériel ont désormais droit de cité au Québec. Il se lève actuellement toute une moisson de jeunes ethnologues et folkloristes qui vont définitivement épingler le nom du Québec au tableau mondial de l'ethno-histoire. Depuis quelques années, le Québec est invité à participer à des colloques internationaux. Je pense, par exemple, au Premier congrès d'ethnologie internationale tenu à Paris en 1971, et auquel participaient des ethnologues d'une trentaine de pays. Ou encore au Premier symposium d'ethnologie euro-américaine, organisé à Mexico, en novembre 1974. J'avais alors donné, en français, une communication sur l'apport européen à la civilisation traditionnelle du Québec. Et plus récemment, au printemps de 1975, alors que le Musée national des arts et traditions populaires de Paris – ce centre mondial de l'ethnologie – déroulait le tapis rouge pour accueillir l'exposition d'anciennes couvertures de lit du Québec. En cette journée du 29 avril, date de l'ouverture officielle, le Tout-Paris était aussi surpris que ravi par le goût, la sensibilité et la dextérité des obscures artisanes de Charlevoix, de Beauce, de L'Islet, de Kamouraska, de Saguenay, de Gaspésie et d'ailleurs. Détail intéressant: la critique parisienne a vite reconnu que la courtepointe québécoise, d'origine française, n'a rien de commun avec le patchwork ontarien ou américain. À l'instar de la chanson et du théâtre, l'ethnologie s'avère une excellente ambassadrice de la culture et de la cause québécoises.

Un musée des arts populaires

Cette culture matérielle – cette part si importante du patrimoine national – serait disparue à jamais sans l'obstination et l'entêtement d'individus qui, sans aide et de leurs propres deniers, ont recueilli, sauvé, conservé et inventorié ce qu'il convient d'appeler les archives figurées de la civilisation traditionnelle du Québec.

La sauvegarde de notre civilisation traditionnelle et la transmission de notre matériel ethnographique ont été assurées par des individus qui ont patiemment reconstitué, bribes par bribes, toute la trame de la vie quotidienne des anciens Québécois. Ce qui surprend, ce qui étonne, c'est l'absence et le vide de l'État dans ce sauvetage du patrimoine. Partout à travers le monde, c'est l'État qui recueille et consigne la civilisation traditionnelle, indépendamment de la pensée économique ou politique du système. Que l'on soit capitaliste ou socialiste, chacun a conscience de la richesse éducative et culturelle du folklore oral et matériel. C'est ainsi que les choses se passent dans un camp comme dans l'autre. Mais au Québec, l'État n'a pas eu pareil souci.

Il est d'une extrême urgence que le gouvernement québécois fonde un Musée national des arts et traditions populaires et un Musée de l'Homme où jeunes et vieux, étudiants et travailleurs, initiés et profanes découvriraient et étudieraient les origines, l'évolution et la transmission de la culture québécoise. Il est beau de parler d'identité et de fierté. Encore faut-il donner un sens à cette identité et à cette fierté. C'est au musée des arts et des traditions populaires qu'un individu découvre et comprend le pourquoi et le comment de son comportement, de ses aspirations et de sa destinée.

Avant de fonder un Musée des arts et traditions populaires et un Musée de l'Homme québécois, il faudra apprendre à ne pas confondre culture populaire et promotion touristique, comme on le fait facilement en certains milieux, notamment au ministère des Affaires culturelles. Qu'on me permette cette langue un peu drue. On ne préserve pas la civilisation traditionnelle pour en mettre plein la gueule au touriste, mais plutôt pour donner des tripes au Québécois.

Le Musée national des arts et traditions populaires du Québec – si jamais l'État lui donne vie – devra être un centre de recherche nettement scientifique où sera conservée, inventoriée, comparée et diffusée la culture populaire. En le fréquentant, initiés et profanes feront le retour aux sources qui leur permettra de mieux comprendre et d'expliquer la place et la vocation du Québec tant sur l'échiquier nord-américain qu'au sein de la francophonie universelle. On ne le dira jamais trop. Il n'est pas de meilleur gage de fierté nationale qu'une connaissance de la civilisation traditionnelle.

Séguin le batailleur, le défricheur, réclame à grands cris que l'on construise un Musée des arts et traditions populaires du Québec. Mais ce n'est pas d'hier que l'ethnologue tente de convaincre fonctionnaires, sous-ministres et ministres de l'importance des arts populaires et traditionnels. Au cours d'une entrevue accordée à Victor-Lévy Beaulieu dans *Perspectives*, en juillet 1972, Lionel n'y allait pas de main morte :

Au ministère des Affaires culturelles, il n'y a rien à faire en ce qui concerne la civilisation traditionnelle. Il est difficile de trouver, dans le monde entier, un État qui, comme le Québec, s'est autant fiché de l'art traditionnel. Je vais vous donner un autre exemple. L'an passé, j'ai été invité à participer à un congrès international qui groupait plus de deux cents ethnologues représentant quarante pays.

Partout à travers le monde, l'État sauvegarde sa civilisation traditionnelle. Peu importe le régime, qu'il soit communiste ou libéral. L'État a indexé la civilisation traditionnelle, il a embauché des chercheurs et des spécialistes pour l'inventorier. Alors qu'ici la civilisation et les arts populaires ont été sauvés (et continuent de l'être) par des individus et des universités. L'Université Laval, notamment, qui a un solide département de civilisation orale. Mais les belles pièces, elles appartiennent toutes à des collectionneurs privés. Pour l'art populaire, c'est d'autant plus choquant que le Québec est l'un des pays les plus riches du monde. Ici, la panoplie est parfaite dans tous les domaines, de la peinture naïve aux outils et aux tissus. Mais est-ce qu'il n'est pas aberrant que les plus belles collections de tissus québécois appartiennent maintenant à des musées étrangers, ceux de Toronto, de Detroit et d'Ottawa?

L'année 1976 sera une année difficile pour Lionel; il ne veut pas admettre qu'il doit modérer son rythme, infernal. Un an avant, malgré une fatigue tenace, il a accepté de présenter ses *Catalognes et courtepointes de l'ancien Québec* au Musée national des arts et traditions populaires de Paris (il recommencera en 1979 avec une exposition sur le costume paysan québécois au 19e siècle).

Huguette voudrait bien qu'il se repose. Sur son insistance, Lionel dresse des plans de vacances, en Corse, à Montpellier, à Sète; finalement, il ne part pas. Peut-être ne veut-il pas trop s'éloigner de Marie-Jeanne qui vient d'avoir 89 ans? Il envisage aussi d'avoir un pied-à-terre en France où il pourrait séjourner quelques mois chaque année, précisément à Sète où, lors d'une rencontre avec Georges Brassens, celui-ci lui avait fait visiter une petite villa tout près

d'un canal et du port de pêche. Son rêve ne se réalise pas :
ou les fonds manquent ou peut-être se sent-il pressé par le
temps, lui qui a tant à réaliser.

Pour l'heure, il présente *L'art de la couverture du lit au
Québec*, au Centre d'art de Trois-Rivières. La même exposition sera ensuite reprise au musée des Beaux-Arts de La
Rochelle, en France, en 1980, et au Musée régional de
Vaudreuil-Soulanges, dirigé par Jean Lavoie, en décembre
de la même année. Le 28 novembre 1981, ce musée de
Vaudreuil auquel Séguin a apporté son aide précieuse à ses
débuts, l'invite à prononcer une conférence sur l'environnement matériel du colon. Il y a bien longtemps que toutes
ces couvertures de lit sont passées de la maison familiale au
musée. La Collection Robert-Lionel-Séguin groupe plus de
200 de ces pièces qui attestent de l'esprit créatif, du sens
esthétique et de la dextérité manuelle de la paysanne
québécoise.

En plus des tâches qui lui tiennent tant à cœur, il est très
sollicité, on le consulte de partout pour connaître ses opinions
sur l'ethnologie, sur le Québec, sur la situation politique, etc.
En avril 1977, c'est au tour du journaliste Peter T. White du
prestigieux *National Geographic* de réaliser une interview :

> Éternel enthousiaste de la civilisation folklorique du
> Québec, le professeur Robert-Lionel Séguin conserve,
> près de sa maison à Rigaud, des centaines d'objets
> anciens d'origine artisanale. J'ai fait le tour de son
> impressionnante collection de moules à sucre d'érable,
> de charrues, de traîneaux, de carrioles, de moulins à vent
> et de vieilles granges qu'il a fait transporter et rebâtir sur
> son terrain.

> La collection reflète d'abord l'influence du nord-ouest de
> la France, de la Picardie, de la Normandie et du Poitou.
> Puis, à partir de la fin du 18e siècle, on y retrouve

l'influence britannique. Enfin, dès le milieu du 19e, l'influence américaine y est décelée. Fascinant!

«C'est notre folklore, notre passé, nos racines; excellent pour les étudiants et pour les musées», déclare le professeur Séguin. Notre culture se vit au quotidien dans nos cuisines, et même dans nos assiettes; notre façon de boire et de manger y est intimement liée. Notre culture, c'est aussi notre tempérament latin, le chic de nos femmes, nos chanteurs populaires, nos films, notre langue...

«Par-dessus tout, insiste-t-il, notre culture, c'est notre langue. Et notre langue, c'est beaucoup plus qu'un joyau qu'on porte de temps en temps. C'est un outil essentiel de la vie quotidienne à l'école, à l'usine, au bureau, dans la rue, partout, quoi! Sans ma langue, je suis un sans-abri! Je suis tout nu! Je n'ai pas de chez-moi! Je ne me sens pas chez moi... Si je vais à Bordeaux ou à Genève, je m'y sens chez moi; dans toutes les régions et tous les cantons du Québec, je suis chez moi – mais à quelques milles (kilomètres) d'ici, c'est une autre paire de manches... Je vais vous le montrer...»

En voiture, nous longeons le cours de la rivière Rigaud; la verte chevelure des prairies riveraines ondoie sous la caresse du vent. Quelques minutes plus tard, nous nous arrêtons à Saint-Eugène, village limitrophe de l'Ontario, province voisine du Québec.

«Presque tous les habitants d'ici sont francophones, affirme le professeur Séguin. Mais voyez-vous toutes ces affiches en anglais?»

Je constate le fait: *Rolland Diotte, General Merchant... Leo Binette, TV Dealer...*

«Quand des policiers ontariens interpellent un francophone ici et s'adressent à lui en anglais, il *doit* leur répondre en anglais. De leur côté, les gendarmes *pourraient peut-être* lui parler en français – auquel cas, il leur en serait reconnaissant... C'est ça, leur bilinguisme! Même qu'aux yeux de ce citoyen, cela représenterait une victoire!

« Mais au Québec, c'est une autre histoire. Au Québec on *doit* me parler en français. C'est mon droit. C'est pourquoi je considère le bilinguisme comme une défaite. Me comprenez-vous? »

Non. Cela ne me rentre pas dans la tête. Le professeur soupire en hochant la tête tristement. «Nous, les Québécois, m'explique-t-il, ne pensons pas et n'agissons pas de la même manière que les autres membres de la francophonie nord-américaine car, contrairement à nous, ces gens-là forment, ici et là, des îlots minoritaires. Ils sont donc forcés de composer avec la langue anglaise puisque, à la fin, ils seront assimilés. Notre situation diffère de la leur. Nous pensons et agissons en tant que collectivité majoritaire. Là se situe la différence. Quant aux minorités ethniques, elles croient être en mesure de partager une appartenance à un pays. Mais à mon avis, mon pays, c'est comme ma femme... je ne veux pas la partager! Voyez-vous, ce qui cloche ici, c'est que hélas nous sommes encore des colonisés, économiquement et politiquement parlant! »

Il ajoute ce qui, selon lui, constitue l'essence du credo séparatiste : «Seule l'indépendance peut nous rendre maîtres de notre économie, ce qui est absolument nécessaire, voire primordial pour la survie de notre culture. »

Le Québec constitue le sixième du Canada, en superficie, et le quart en population, soit 25 %. Si le Québec se sépare des autres provinces, que reste-t-il du Canada ?

CHAPITRE 13

À bout de souffle

Lionel a consacré sa vie, ses énergies, ses économies, et celles de sa femme d'ailleurs, à enrichir sa collection ; maintenant qu'elle a atteint une importance muséale, il doit penser à la meilleure façon d'en disposer. Au printemps de 1976, il entreprend des démarches auprès des milieux universitaires et scientifiques, notamment auprès de Jean-Rémi Brault, conservateur du Musée du Québec, et de Gilles Boulet, alors recteur-fondateur de l'UQTR, pour que sa collection soit éventuellement versée au patrimoine québécois sous la bonne garde d'un centre universitaire, et pour éviter qu'elle ne soit morcelée. Lionel ne sait pas à ce moment-là qu'il entreprend une croisade... dont il ne verra jamais la fin.

Les conversations sans fin, les échanges épistolaires de toute sorte, ne sont pas du goût de Lionel, qui voudrait bien régler le sort de sa collection avant que la santé le laisse. Huguette assiste, impuissante, à toutes ces démarches qui n'aboutissent pas et qui amènent beaucoup de tension. Elle persuade Lionel de partir en vacances à Cuba, au début de mars 1977. Huguette l'accompagne et des amis, Martine et Marcel Gareau, ma femme et moi.

À Cuba, sa passion ne le lâche pas. Tôt le matin, il lui arrive souvent de quitter le petit village de Mégano par l'autocar qui se rend à La Havane, à la recherche d'autres trésors. Il en trouve de magnifiques dans de vieilles églises délaissées par les fidèles : des missels, des chasubles de soie et de drap d'or, des ornements sacerdotaux. Il flâne de longues heures au Centre d'artisanat aussi bien qu'au Musée de la Révolution.

Cela suffit à rendre à Lionel toute l'énergie dont ses tracas l'avaient privé. Il n'a plus assez de ses journées pour tout faire : la matinée est consacrée à la chasse aux trésors, les après-midi se passent à visiter les environs jusqu'à San Francisco de Paula, petit village où habita Ernest Hemingway, l'auteur du *Vieil homme et la mer*. Le soir, il trouve encore l'énergie nécessaire pour accompagner ses amis au fameux Tropicana, où il n'était plus question d'antiquités, cette fois !

Ainsi, il suffisait d'une quinzaine à Cuba pour se refaire une santé ! Alors, viva Cuba !

À peine deux semaines après son retour de voyage, Lionel est à bout de souffle et se plaint de douleurs persistantes à la poitrine. « Ça finira bien par passer, je ne suis pas une mauviette », répète-t-il à ceux qui s'inquiètent de sa santé. Ses forces diminuent jour après jour. Il passe des nuits blanches à faire les cent pas d'une pièce à l'autre ; il cherche l'air par la fenêtre ouverte. Des douleurs l'assaillent. Il finit par tomber d'épuisement sur son lit à l'aube, et dort deux ou trois heures d'un sommeil fragile.

Le matin du mardi 29 mars 1977, après avoir passé une nuit agitée, Lionel se prépare : il a un rendez-vous à Trois-Rivières à 10 heures. Il tente de se ragaillardir à l'eau froide et à l'eau chaude, se fait la barbe, sans même déjeuner puisqu'il n'en a pas la force. Sa douleur à la poitrine augmente. Huguette craint le pire et l'amène en catastrophe à la clinique de Rigaud où le Dr Paul Lefort le soumet à un électrocardiogramme, puis recommande que l'on conduise Lionel en vitesse à l'Hôpital général du Lakeshore.

Le Lakeshore n'est situé qu'à trente minutes de Rigaud, mais Réjeanne Carrière, la sœur d'Huguette, qui conduit la voiture, trouve le trajet interminable. Elle observe son beau-frère, blanc comme un drap, silencieux, qui perd pendant un moment connaissance. Huguette, assise derrière, éponge sans cesse le front de son mari; il reprend peu à peu ses esprits.

Enfin, c'est l'arrivée à l'hôpital. Sans perdre une minute, le docteur Lambros Chaniotis fait transporter le malade aux soins intensifs.

Durant trois semaines, Huguette se rend quotidienne-ment au chevet de Lionel dès qu'elle sort du travail. Le cardiologue Émile Marcotte interdit toute autre visite jusqu'à ce qu'il sorte des soins intensifs.

Une fois installé dans une chambre privée, malgré l'ordre formel de ses médecins qui lui interdisent la moindre activité, l'indiscipliné trouve le moyen d'écrire à ses collè-gues et même de planifier ses prochains travaux et voyages. Il a hâte de reprendre la vie normale. Quand il apprend qu'il devra suivre un régime sévère, couper les fromages, le gras et le sel, et faire des exercices appropriés, il parle d'un véritable cauchemar et refuse de s'y soumettre.

De retour à Rigaud, le 20 avril 1977, on transporte un lit dans le salon, à deux pas de son bureau. Huguette a obtenu de son employeur un congé de trois mois pour se consacrer entièrement à son mari; elle craint, avec raison, que laissé à lui-même, Lionel fasse fi des recommandations médicales rigoureuses. Et c'est bien ce qui se produit : Lionel ne peut s'arrêter de bouger, d'organiser, d'écrire. C'est plus fort que lui : dès qu'Huguette sort de la maison, il entre dans ses bureaux, classe des papiers, documents et photos, et télé-phone à des collègues et amis pour leur rappeler que tout redeviendra sous peu comme avant. Il accepte mal de se sentir diminué physiquement et veut prouver que le géant a repris ses forces et son entrain.

Petit à petit, sa santé revient. Il prend l'air en allant s'occuper de ses volailles, marche un peu autour de la maison et vérifie le bon ordonnancement de ses bâtiments où s'entassent ses 35 000 objets de toutes sortes. Il en profite pour mettre de l'ordre dans sa bibliothèque qui contient plus de 8000 titres. Pendant ce temps, Charles Phillips et Michel Brisebois, de la Librairie d'antan, viennent terminer l'inventaire de la bibliothèque de Lionel, pour le compte de l'UQTR.

L'alerte est donc passée, la vie peut reprendre son cours. Parfois quand même, Marie-Jeanne vient lui rendre visite et, instinctivement, insiste pour prévenir son fils contre les dangers d'une rechute possible. «Tu as absolument raison, tu fais bien de me rappeler à l'ordre. À l'avenir, sois assurée que je suivrai ton conseil. » Mais dès qu'elle a le dos tourné, il n'en fait qu'à sa tête et poursuit ses activités.

Le résultat ne se fait pas attendre. Il est hospitalisé au Lakeshore en mai et en juin 1977 pour de sérieux problèmes cardiaques. Lionel finit par admettre qu'il doit complètement changer ses habitudes de vie : «Mes jours sont maintenant comptés, le temps joue contre moi. Mais j'ai encore tant à faire... »

Pour la première fois, à 57 ans, dans un moment de lassitude, il parle de prendre sa retraite. Huguette l'y encourage fortement. Il rêve de voyage, il veut retourner en France, en Italie. Mais pour en arriver là, il s'agit avant tout de vendre sa collection ; il lui tarde qu'un règlement intervienne, d'une manière ou d'une autre, entre l'Université du Québec à Trois-Rivières et le gouvernement du Québec.

Entre-temps, Lionel retourne à son enseignement à l'UQTR où il retrouve avec plaisir ses élèves, ses collègues et ses rêves.

❖

En 1979, l'UQTR est toujours en négociation avec Robert-Lionel Séguin pour décider de l'avenir de la collection. Le comité d'évaluation formé de Paul Carpentier, de Jean Simard et de Michel Lessard se montre dynamique et, vers la fin de l'année, il semble que les parties en soient venues à un accord de principe. C'est ce qui se dégage de la lecture de la correspondance échangée entre Me Frank G. Barakett et François Soumis, vice-recteur à l'administration de l'UQTR.

Selon *Le Devoir* et *Le Nouvelliste* du 20 octobre 1979, il est clair que la décision de fonder un musée des arts et traditions populaires (qu'on désignait jusqu'ici du nom de musée de la tradition et de l'évolution), rattaché à l'UQTR, a été arrêtée. Toutefois, ce n'est qu'en janvier 1980 qu'une entente verbale serait intervenue entre Séguin et l'UQTR.

Un an après la signature de la convention du 22 avril 1980, on apprend que l'établissement n'ayant pas obtenu la subvention gouvernementale, tout est à recommencer. C'est la consternation chez le couple Séguin. Dès lors, aucune des parties n'est liée par des conventions. Jusqu'à l'été 1982, rien ne va plus, les principaux intéressés restent sans nouvelles. Lionel fait parvenir un autre projet daté du 21 juillet, sans trop d'espoir cependant.

❖

Apprenant que son beau-frère Réginald Carrière et sa femme Réjeanne se préparent à partir pour l'Abitibi-Témiscamingue et le Saguenay–Lac-Saint-Jean, Lionel propose à Huguette de se joindre à eux. Ils ont besoin de changer d'air pour se remettre un peu de ces six ans de négociations qui viennent de tomber à l'eau, et ce voyage de découvertes arrive à point.

Lionel, curieux de tout, et surtout de l'histoire de son pays et de ses habitants, a toujours une liste de choses à voir et à faire où qu'il aille. En passant par Ville-Marie, autrefois appelée Baie-des-Pères, où il s'arrête à la Maison du colon, construite en 1881, il se rend d'abord à Duparquet, petit centre de villégiature. Son beau-frère Lucien Servant, qui l'y attend, l'invite à partager une bonne matinée de pêche. De retour à Rouyn-Noranda, la Maison Dumoulon, qui fait revivre l'ambiance des années 20, pique sa curiosité. On y voit encore de nos jours la maison en rondins construite par le premier habitant Jos Dumoulon, en 1914. Puis il visite le Musée régional des mines et des arts de Malartic.

Il s'intéresse autant aux premières maisons de bois rond encore habitées du Village minier Bourlamaque, à Val-d'Or, qu'au jardin zoologique de Saint-Félicien. Le musée Maria-Chapdelaine et la maison où habita l'écrivain Louis Hémon, en 1912, le retiennent quelques heures à Péribonka, après la dégustation du chocolat des trappistes de Mistassini. À Jonquière, Lionel demande à un jeune passant où se trouve la fabrique du fameux fromage en grains : « Je vais vous y conduire, M. Séguin. Je vous ai reconnu, je suis natif de Jonquière, mais j'habite pas très loin de chez vous, à Vaudreuil, tout près de l'ancienne maison de Félix Leclerc, et j'admire tellement ce que vous faites. » Depuis 1990, Jean-Claude Gauthier est devenu le meilleur interprète des chansons de Félix. Puis enfin, un arrêt incontournable, à Chicoutimi, à la maison du célèbre peintre-barbier Arthur Villeneuve, dont il possède quelques tableaux.

Sa faconde et sa passion pour son travail ont valu à Lionel de paraître quelquefois à la télévision, Réal Giguère et Lise Payette l'ont interviewé, Guy Godin l'a reçu à *C'était l'bon temps*, etc. Ces apparitions lui confèrent une certaine notoriété et Lionel est touché de voir que, dans ces régions où il va pour la première fois, des gens l'interpellent : « On vous a vu à la télé, merci de prendre soin de notre patrimoine. »

Lionel, même s'il est extrêmement fatigué en cette année 1982, ne semble pas pouvoir rester en place. Il retourne en France, seul, puis en Abitibi-Témiscamingue et au Saguenay–Lac-Saint-Jean. En septembre, il se rend dans la région de Charlevoix, avant de visiter, à La Pocatière, le musée François-Pilote, où l'on trouve beaucoup de pièces agricoles de la région et où l'on recrée l'univers de la cabane à sucre traditionnelle. La collection de moules à sucre, en forme de petite église, de maisonnette, de coq, de cœur et même de livre de messe, fascine Séguin, qui suggère de faire des échanges entre collectionneurs. Lionel reconnaît bien le mérite du professeur Paul-André Leclerc, directeur du musée qui porte le nom de celui qui fut le fondateur de la première école d'agriculture permanente au Canada, en 1859.

Même quand il reste à Rigaud, il fait des virées, souvent avec son ami Marcel Bourbonnais, dans les marchés aux puces de la région, d'où il rapporte chaque fois quelque chose : une vieille lime faite à la main, une harminette, sorte de hachette à tranchant recourbé, une grosse crécelle, une fois même un coq, une espèce de « bantam » polonais, pour agrémenter la vie de deux jeunes poules de même race, composante de sa petite basse-cour. Il semble plus que jamais à la recherche du temps passé, ou serait-ce à la recherche du temps tout court?

⬥

Le 16 septembre 1982, Lionel et Huguette reviennent de quelques jours passés dans Charlevoix et, malgré la pluie battante et sa grande fatigue, Lionel décide d'arrêter chez Félix Leclerc, où le grand sujet de conversation ce jour-là est le référendum. En quittant le Roi de l'île, Séguin lui dit : «Si on ne se revoit pas sur terre avant les prochaines élections, on se reverra bien quelque part où il fait beau temps. — Tu sais, mon Séguin, c'est bien probable que j'arrive avant toi. En limousine ou en raquettes.»

Après sa visite à Félix, Lionel fait un arrêt au Centre hospitalier universitaire de Laval. Il y a toujours cette douleur à la poitrine qui le tenaille, mais on le rassure : ce n'est qu'un simple problème de digestion, un reflux gastro-œsophagien, comme il est consigné dans le dossier médical.

De retour à Rigaud, Lionel, toujours souffrant, prend quand même quelques minutes pour aller embrasser sa vieille maman, âgée de 87 ans, bien lucide et resplendissante de santé.

Enfin chez lui, Séguin s'installe confortablement dans sa vieille chaise berçante et après avoir confié à Huguette : «Félix me paraît un peu fatigué, mais je pense bien que je partirai avant lui», son cœur flanche. Huguette tente de le ranimer, mais en vain.

La docteure Monique Rozon-Rivest, qui arrive peu de temps après, ne peut que constater le décès causé par un infarctus aigu du myocarde. L'horloge ancestrale venait de sonner huit heures du soir en ce seizième jour du mois de septembre 1982.

Quelques jours plus tard paraissait ce texte dans les hebdomadaires de la région :

Les desseins de la Providence sont insondables...
Il est né parmi vous.
Il a grandi au milieu de vous.

Nous nous apprêtions à fêter ensemble nos arrivants, nos ancêtres communs : les Séguin, les Quesnel, les Gauthier, les Chevrier, les Villeneuve. Et nous n'aurions pas oublié tous les autres qui sont venus par après.

Mais voilà que la mort l'a surpris.

Dans toute sa cruauté, elle lui a fait toutefois une grande faveur...

Il s'est éteint chez nous, en présence des siens...

Gens de Rigaud, qui êtes venus le saluer une dernière fois, je vous remercie.

Gens de tout le comté, vos marques d'attachement m'ont réconfortée grandement.

Il est parti très rapidement, il est vrai. Mais son œuvre demeure au milieu de vous; il vivra le patrimoine de notre ville, de notre paroisse, de notre comté et de tout le Québec.

Un jour, nous serons de nouveau tous réunis...

Huguette Servant-Séguin

CHAPITRE 14

Témoignages d'ici et d'ailleurs

«Souhaitons-nous des Robert-Lionel Séguin, l'homme aux trésors.» C'est par ces mots que Félix Leclerc termine sa lettre à Gérard Dallaire, qui l'invitait à venir fêter Lionel, dans le cadre du bicentenaire de Rigaud, à l'automne 1982.

La présidente des festivités, Nicole Plante, a eu l'idée de rendre hommage à l'illustre Rigaudien pour souligner l'importance de son rôle vis-à-vis du Québec et de son village natal. Bien évidemment la nouvelle de la mort de Lionel, survenue le 16 septembre, sème la consternation chez les organisateurs. En guise d'adieu, on décide quand même de monter une exposition de ses jouets anciens. La tristesse des visiteurs est palpable lors de cet événement et de la soirée à laquelle le folkloriste Jacques Labrecque a accepté de chanter pour son ami disparu.

Lorsqu'on souligne ce qui sera son dernier anniversaire de naissance, le 7 mars 1982, Lionel confie à ses proches, la larme à l'œil, qu'il ne verra probablement pas la nouvelle année si son état de santé continue à se détériorer. «Je veux terminer ce que j'ai entrepris. Comme je n'ai pas eu d'enfant, ce sera ma façon à moi de laisser une trace de mon court passage sur terre pour qu'on se rappelle un petit peu de moi...» Il voit bien que ses jours sont comptés et s'inquiète de savoir que sa mère lui survivra et que sa femme aura beaucoup à faire pour régler sa succession, si l'on n'arrive pas à disposer de sa collection.

Même s'il mourra avant de connaître le sort de ses trésors, Lionel est quand même rassuré de pouvoir se reposer entièrement sur André Brunelle, un avocat en qui il met toute sa confiance, capable de défendre sa cause en tenant compte tant des intérêts de Lionel que de ceux du Québec. Celui-ci est frappé de stupeur lorsqu'il apprend la perte de son client si peu banal :

Chère madame Séguin,

C'est avec surprise, consternation et beaucoup de sympathie pour vous que j'ai appris le décès prématuré et subit de Monsieur Robert-Lionel Séguin.

La qualité des contacts que j'ai eus avec ce grand et authentique Québécois, dont la grande érudition était reconnue de tous, m'a permis d'apprécier son humanité, son intelligence, sa clarté d'esprit et son intégrité, lesquelles n'avaient d'égal que sa simplicité, marque des hommes de grande valeur.

Même avec la conscience qu'il n'existe pas de consolation pour compenser la perte d'un être cher, il est bon de se souvenir que les empreintes qu'il a laissées derrière lui, tout au long de sa vie, le garderont toujours présent dans la mémoire de ceux qui l'ont connu et permettront aux générations futures de conserver la mémoire de leurs racines et la fierté de leur appartenance.

Je considère que ce fut un privilège et un grand honneur pour moi de connaître monsieur Séguin.

À vous qui avez partagé une vie si bien remplie, j'offre mes condoléances et l'expression sincère de ma sympathie.

Veuillez croire, en ces moments pénibles, à l'expression de mon meilleur souvenir.

Votre tout dévoué,

André Brunelle

De nombreux témoignages de sympathie arrivent d'un peu partout, au Québec, notamment du bureau du premier ministre :

Chère madame Séguin,

Comme beaucoup de Québécois j'ai été profondément touché par la nouvelle du décès de votre mari et je vous prie d'accepter, pour vous-même et pour tous les vôtres, l'expression de mes plus sincères condoléances. Je crois comprendre à quel point ce triste événement vous affecte personnellement.

Robert-Lionel Séguin était depuis longtemps un des maîtres de nos sciences humaines et son action tout comme son œuvre constituent des acquis singulièrement importants. Soyez assurée que nous lui en sommes reconnaissants, et aussi que, par la valeur de ses travaux, sa présence se perpétuera.

Je vous prie de recevoir, chère madame Séguin, l'assurance de mes sentiments les meilleurs.

René Lévesque

Les lettres proviennent de tous les milieux. Ainsi ce message de la directrice du Musée McCord :

Madame Séguin,

C'est avec beaucoup de chagrin que nous avons appris la triste nouvelle du décès de votre mari.

Mes collègues et moi avons eu l'occasion de discuter à plusieurs reprises avec feu votre mari au sujet de nos intérêts communs sur le patrimoine québécois et canadien. Personnellement, je garde un souvenir des plus agréable de la journée que j'ai passée au mois de mars dernier quand monsieur Séguin a eu l'amabilité de nous recevoir chez vous. Le souvenir de cet homme passionné par l'histoire de son pays et de sa gentillesse lorsqu'il nous faisait part de ses vues à ce sujet restera longtemps gravé dans ma mémoire.

Recevez, Madame, mes plus sincères condoléances et veuillez agréer l'expression de mes sentiments distingués.

La directrice,
Shirley Thomson

L'admiration et le respect vont au-delà des différends politiques ; Huguette reçoit cette lettre à l'en-tête de la Société royale du Canada datée du 22 septembre 1982 :

Chère madame Séguin,

C'est avec grand regret que je viens d'apprendre la triste nouvelle du décès, le 16 septembre, de votre époux, notre distingué collègue, M. Robert-Lionel Séguin, s.r.c. Le Québec a perdu un grand éducateur et ethnologue, et le Canada un des grands vulgarisateurs de son histoire. Nous en sommes tous plus pauvres.

Les membres de la Société royale du Canada, et en particulier ceux de l'Académie des lettres et des sciences humaines, se joignent à moi pour vous exprimer toute notre sympathie dans votre épreuve.

Je vous prie d'agréer, chère madame Séguin, mes plus sincères condoléances.

Le président,
Marc-Adélard Tremblay

De France, arrivent des lettres officielles autant que des mots d'amis :

Orsay, le 12 octobre 1982

Chère Huguette,

Depuis que ma sœur Suzanne m'a téléphoné pour m'apprendre la mauvaise nouvelle que je veux t'écrire mais je n'en ai eu ni la force, ni le courage, ni l'esprit. Je n'y croyais plus à ce qui le menaçait, Lionel, je n'y pensais jamais au fond. Il me semblait qu'il allait vivre aussi vieux que sa mère...

Et après vous avoir vus cet été je m'étais mis à rêver aux voyages qu'on se proposait de faire ensemble. Il me semblait que notre amitié ne faisait que commencer et je comptais un peu sur lui pour m'aider à m'adapter. Je me disais aussi, Rigaud n'est pas très loin de notre chalet, à Morin-Heights. Je sauterai dans ma voiture, je viendrai le voir... Et je nous voyais tous ensemble, autant dans un endroit que dans l'autre.

Le rêve s'est écroulé, tout d'un coup, et cela a été terrible. Et après j'ai cessé d'être égoïste et j'ai pensé à toi Huguette. Oui, je comprends combien tu dois être seule là-bas... au milieu de ce « musée » qu'il a créé ! Il doit le hanter, ce lieu. Je craindrais d'y revenir, je le verrais partout, je l'entendrais encore m'expliquer...

Je ne peux que me joindre à toi pour pleurer, Huguette – et Diane aussi. Aux dernières nouvelles nous devrions revenir pour Noël, début janvier au plus tard. Je te téléphonerai dès notre arrivée. D'ici là je te souhaite tout le courage et la force qu'il te faudra... pour surmonter cette épreuve. Ce qu'il aurait souri de m'entendre parler comme nos vieux parents ! Je t'embrasse de tout cœur,

Gérald Robitaille

Ses collègues historiens, directeurs de musée, ethnologues se manifestent. De Paris, le directeur du Centre d'étude et de documentation sur l'Afrique et l'Outre-Mer écrit :

Chère madame Séguin,

Je viens d'apprendre l'affreuse nouvelle et je veux vous dire la part que je prends à votre peine.

Vous savez l'immense estime et la grande amitié que je portais à Lionel et sa disparition laisse dans les rangs des historiens et des folkloristes québécois un vide qui n'est pas près d'être comblé.

Son œuvre revêt une importance considérable et j'espère que les Québécois rendront hommage à sa mémoire par le baptême d'un musée, d'un amphithéâtre, d'une rue qui, pour les générations futures, marquera le rôle qu'il a joué.

Pour Marianne et pour moi nous gardons le souvenir de vos visites si sympathiques et je garde pour ma part un précieux souvenir de mon trop bref passage chez vous voici quelques années.

Marianne se joint à moi pour vous dire nos fidèles pensées.

Robert Cornevin

De l'Université des sciences humaines de Strasbourg, Viviana Paques tient à redire toute l'estime et l'admiration qu'elle a pour le grand ethnologue Séguin, pour son œuvre et pour la puissance de son travail. Son départ, conclut-elle, est une perte énorme pour le milieu universitaire, non seulement au Québec mais en Europe.

Michel Champagne, conservateur de l'art moderne au Musée du Québec, ne cache pas son admiration pour Robert-Lionel Séguin : « Ce fut notre plus grand ethnologue. » Pour sa part, Romuald Miville-desChênes adresse ses condoléances à Huguette : « Sachez que je garderai toujours de lui

168

le souvenir d'un être profondément humain et remarquablement simple, malgré son immense culture et ses grandes connaissances. »

Carmen Roy, du Musée national de l'homme, à Ottawa, se dit anéantie, tout comme ses collègues, de la nouvelle de sa maladie fatale. « Son savoir avait encore tant à communiquer. Il est vrai que tout ce qu'il laisse à l'humanité constitue déjà une somme à laquelle on puisera longtemps, et qui saura, la grâce de Dieu aidant, nous consoler un peu. »

Gérald Godin, alors ministre en 1982, faisait part lui aussi de son chagrin à Huguette :

[...] Robert est disparu et j'ai beaucoup de peine. Il me semble impossible d'imaginer qu'il ne me téléphonera plus pour qu'on dîne ensemble au Saint-Malo, où chaque fois il m'apportait ses paroles de sagesse et surtout d'optimisme. Sa confiance inébranlable dans le peuple du Québec fut au cœur de toute sa vie. Son immense culture comparative lui permettait de savoir et de m'apprendre à moi, comme à tant d'autres, que le Québec avait apporté au monde sa contribution aussi riche et originale que n'importe quel autre peuple de la terre. Et Robert consacra toutes ses énergies à diffuser partout cette conviction. Le Québec perd son plus sûr défenseur, le plus enraciné de tous, le plus acharné et le plus fidèle...

De l'Université du Québec arrive une autre marque de sympathie :

Chère madame Séguin,

À mon retour d'Europe aujourd'hui même, j'apprends avec consternation le décès de Robert-Lionel, avec lequel j'avais entretenu depuis plus de quinze ans des relations d'une qualité exceptionnelle. Ce sentiment se double d'un regret profond de voir partir le maître de l'ethnologie québécoise et l'un des piliers du développement des études québécoises à l'Université du Québec, et dans l'ensemble de la province.

Il vous a déjà été dit que monsieur Gilles Boulet n'avait pu aller vous saluer, puisqu'il effectue actuellement un séjour au Brésil. Il n'en reviendra qu'au début de la semaine prochaine ; je l'ai déjà prié d'aller vous saluer, soit en passant à Montréal, soit à l'occasion des nombreux séjours qu'il y fait. Vous le verrez donc sans doute très prochainement.

Je vous présente une fois encore tout le témoignage de ma sympathie, et je vous prie d'agréer, chère madame Séguin, l'expression de mes sentiments respectueux.

Pierre Cazalis
Vice-président

Il y a encore les témoignages de Raymond Douville, un grand ami, naguère membre de la Société des Dix, de Béatrice Mathieu des Éboulements : « Il y a des hommes qui ne meurent pas parce qu'ils vivent dans le cœur par leurs œuvres. Votre mari est de ceux-là... » Celui aussi d'une peintre de la Beauce, Cécile Grondin-Gamache, dont Lionel appréciait l'œuvre, etc.

Pendant des mois, Huguette Séguin s'occupa à répondre à tous ceux qui avaient si bien manifesté leur peine. C'était finalement la plus douce tâche qu'elle pouvait accomplir pour s'habituer peu à peu à l'absence de son mari. Elle lut et relut ces témoignages, véritable baume sur son chagrin, et y joignit le texte de l'homélie prononcée par le père Gilles Sabourin :

Mes chers amis,

Nous sommes réunis, ce matin, pour dire un dernier adieu à notre frère Robert-Lionel Séguin, disparu prématurément, en pleine activité, au sommet d'une carrière magnifiquement remplie. À la fois ethnologue, historien et poète, il a passé toute sa vie à chercher avec passion, à travers parchemins et archives, à faire parler le passé, à lui redonner vie, à démystifier notre histoire, à l'humaniser.

Avec le courage, la ténacité et la fougue des pionniers et des grands bâtisseurs, Robert-Lionel Séguin s'est attaqué, presque seul au début, à la gigantesque tâche de retrouver le véritable portrait de ce que furent nos ancêtres, à une époque où justement nous sentions un profond besoin de retrouver nos racines et où justement aussi nous étions en quête de notre identité. Il a été, comme on l'a si bien dit, « le premier historien de l'homme au Québec ».

Aujourd'hui, Robert-Lionel Séguin n'est plus. Avec lui vient de disparaître, après Albini Quesnel et Yves Quesnel, le dernier survivant de la race des géants qui ont marqué en profondeur la vie de notre petite communauté. Robert-Lionel Séguin n'est plus et sa disparition laisse un grand vide dans notre milieu et dans le Québec tout entier.

[...]

Robert-Lionel Séguin continuera de vivre parmi nous à travers ses livres, bien sûr, mais à travers aussi nos souvenirs et notre pensée. Nous garderons de lui l'image d'un homme profondément humain, chaleureux, sympathique et accueillant; l'image d'un homme qui malgré ses diplômes et ses honneurs avait gardé l'humilité et la simplicité des véritables grands hommes. Nous garderons de lui l'image de quelqu'un de noble et fier, selon l'expression de Félix Leclerc; l'image d'un homme qui avait de profondes convictions et les défendait avec passion; l'image d'un homme intensément religieux.

Robert-Lionel Séguin continuera de vivre parmi nous à travers la passion qu'il nous a léguée, à travers cette flamme qu'il a allumée en chacun de nous pour que nous continuions avec la même probité intellectuelle, avec la même honnêteté, la recherche et la quête de notre identité. Robert-Lionel continuera de vivre à travers cette fierté de nous-mêmes qu'il nous a fait découvrir. Il continuera de vivre parmi nous à travers tous les souvenirs que nous avons vécus avec lui, comme mère, comme épouse, comme parent, comme ami ou comme collaborateur. Il continuera de vivre surtout à travers cette dimension spirituelle de notre vie, à travers cette conviction profonde que la vie naît de la mort et que « la mort c'est grand, c'est plein de vie dedans ».

Gilles Sabourin, c.s.v.
le 20 septembre,
en l'église Sainte-Madeleine de Rigaud.

CHAPITRE 15

Bien du remue-ménage

Après ces témoignages d'affection et ces vives émotions qui ont marqué le départ de Robert-Lionel Séguin, à 62 ans, il fallait bien que le vent d'automne fane les gerbes et les couronnes de fleurs, et que la vie reprenne son cours normal. Mais pas pour longtemps.

L'UQTR s'inquiète avec raison du sort de la riche Collection Séguin, qui est toujours à Rigaud, bien rangée et entassée dans plusieurs bâtiments et dans la maison de l'héritière. Huguette ne peut vivre seule dans ce domaine de plus en plus connu par les reportages qu'on en a faits dans tous les médias. On a rendu publique l'évaluation de la collection qui se chiffre à plus de trois millions de dollars. Lors d'une rencontre avec Gilles Boulet, président de l'Université du Québec, l'épouse de Lionel lui a dit qu'elle entendait respecter la volonté de son mari, qui voulait à tout prix garder sa collection au Québec.

Maintenant que le collectionneur n'est plus là pour surveiller, conserver, entretenir et restaurer les 35 000 pièces traditionnelles de notre patrimoine, les prédateurs sont à l'affût. À plusieurs reprises, on a vu des rôdeurs, qui font craindre le vandalisme, et puis des voitures, certaines avec des plaques d'immatriculation étrangères, défilent de jour comme de nuit, en face de la résidence et de l'ensemble des habitations et remises servant à abriter tous ces trésors.

On doit faire appel à la police, qui exige qu'on installe un système de protection adéquat. Pendant un certain temps, des agents de sécurité ont même fait le guet à pied ou en voiture. Cela devient un véritable cauchemar pour la légataire, la parenté et l'entourage immédiat.

Des pressions s'exercent de toute part pour que le gouvernement québécois réponde positivement aux demandes pressantes de l'UQTR. Le président de la Société Saint-Jean-Baptiste de Montréal, Gilles Rhéaume, prend position dans *Le Devoir* : « Le plus beau monument que le Québec pourrait ériger à la mémoire de Robert-Lionel Séguin serait certainement la création en son honneur d'un musée national des arts et des traditions populaires... Nous n'avons pas le droit de ne pas continuer et compléter l'œuvre de ce grand sauveur du patrimoine, qui est en grande partie responsable de cette prise de conscience de nos valeurs historiques. On lui doit aussi cet éveil prometteur à un retour aux sources auquel nous assistons et qui redonnera au peuple québécois sa fierté et son respect des ancêtres. »

En 1981, un an avant sa mort, Lionel est fort déçu et veut tourner la page. Il écrit une lettre bien personnelle à son ami Maurice Carrier de l'UQTR. Elle en dit long sur son état d'âme.

Rigaud, le 3 septembre 1981

Mon cher Maurice,

J'ai reçu ta lettre du 17 août comme je rentrais des Îles-de-la-Madeleine où j'ai passé une dizaine de jours à travailler, à me baigner et à me reposer. Comme tu l'imagines, j'ai tout de même fait ma petite cueillette d'objets autochtones. Des amis des Îles me rendent de bons services en ce sens. D'autre part, je viens d'envoyer des exemplaires de ma thèse aux membres du jury. La soutenance devrait avoir lieu le 17 octobre prochain. De plus, je suis maintenant chercheur invité au CELAT. Je travaille avec Jean-Claude Dupont et les autres. Tu vois que j'ai suffisamment de pain sur la planche. Restent encore des travaux personnels. Voilà qui explique pourquoi j'ai mis un peu de temps à te donner de mes nouvelles.

[...]

Tu souhaiterais te rendre à Rigaud avec des élèves. Je suis vraiment mal à l'aise de répondre dans la négative... et pourtant. Tu sais que je suis toujours des plus heureux de t'accueillir avec ta famille. Toi et les tiens êtes toujours les bienvenus. L'«incident» de l'automne dernier* n'a rien changé de notre amitié. Bien au contraire, il a resserré les liens qui nous unissaient. Tu es parmi les quelques bons amis que j'ai laissés à Trois-Rivières. Mais j'y ai laissé également des espérances, des rêves, voire des déceptions, des désappointements. La page est définitivement tournée. L'heure du bilan est arrivée.

Il faut dire que je suis beaucoup moins sévère à l'égard des élèves qu'à l'égard de la plupart des professeurs du département. Les premiers sont jeunes, inconséquents ; les seconds, par contre, sont intéressés, routiniers, calculateurs. Ils m'ont fourni le lamentable spectacle de l'homme qui a peur, ce qui n'est jamais beau à voir. On dit que le temps efface bien des choses. Il y a pourtant des exceptions à toute règle. Ainsi mon ressentiment envers ces anciens confrères, lequel se raffermit au lieu de s'estomper avec les mois. Un jour, Jacques R. Parent [vice-recteur de l'UQTR] m'avait invité à réfléchir et à revenir sur ma décision de quitter Trois-Rivières. Je lui avais répondu qu'il ne pouvait en être question puisqu'il m'était désormais trop pénible de vivre et de travailler avec la plupart des professeurs précités. Il y a des choses qu'on ne peut accepter, le mépris par exemple. Alors tu comprends...

Prochainement, j'irai faire des recherches à Trois-Rivières. Tu auras le temps de « digérer » ce que je viens d'écrire. Nous pourrons en parler et en discuter, si tu le crois opportun. Autrement, nous parlerons des arbres et des roses. [...]

R.-Lionel

* Lionel faisait allusion à la décision de plusieurs de ses collègues historiens de lui retirer toute tâche d'enseignement, décision qui entraînera sa démission de l'UQTR.

Lionel décédé, la négociation pour l'acquisition de la collection suit toujours son cours. En réponse à des échanges de lettres et à des rencontres entre le président de l'Université du Québec, Gilles Boulet, et la sous-ministre adjointe à l'enseignement supérieur, Michèle Fortin, le ministre de l'Éducation, Camille Laurin, écrit à M. Boulet, le 9 février 1983, qu'il est très heureux d'apprendre qu'on est parvenu à une entente auprès de son ministère, en ce qui concerne l'acquisition et la localisation de la précieuse collection.

Les propositions qui vous ont été faites montrent l'intérêt que le gouvernement attache au patrimoine québécois. De plus, je tiens à vous rendre hommage de même qu'à tous ceux qui, à l'Université du Québec à Trois-Rivières ou dans d'autres milieux, n'ont pas ménagé leurs efforts pour permettre la réalisation de ce projet. Je tiens aussi à remercier tout particulièrement madame Huguette Séguin pour l'intérêt qu'elle porte à l'œuvre de son mari et à la conservation du patrimoine québécois.

Une copie de cette lettre ministérielle est envoyée au président du Conseil du trésor, Yves Bérubé, au ministre des Affaires intergouvernementales, Jacques-Yvan Morin, ainsi qu'à messieurs Louis-Edmond Hamelin, Roger Lefrançois, vice-président aux finances de l'Université du Québec, et François Soumis, de l'UQTR. En viendra-t-on aux actes officiels?

Quatre mois plus tard, le 13 juin 1983, une cérémonie marque l'acquisition de la Collection Robert-Lionel-Séguin par l'UQTR. Dans le hall du pavillon Albert-Tessier, de l'établissement de Trois-Rivières, quelques pièces sont à l'honneur, grâce à Maurice Carrier, Édith Manseau et Cécile Gosselin. Les couvertures de lit, qui ont toujours gardé la maisonnée bien au chaud, occupent une place importante et rendent hommage à nos tisserandes et couturières, héritières d'une longue tradition artisanale.

Les nombreux invités de cette fête peuvent admirer des objets précieux qui vont du moule à sucre au chapeau de paille, de la fourche et du rabot au tombereau, de la paresse-boutonnue à la jupe paysanne, qui sont plus que des objets, presque des compagnons de vie, comme l'écrivait Maurice Carrier : « Un jour, une vieille dame, la femme de Philéas Morneau, de la Baie-des-Rochers en Charlevoix, confiait à Félix-Antoine Savard : "Oh! si j'avais mon rouet, je chanterais mieux, je me souviendrais..." » La peinture y est bien représentée aussi : d'une peinture naïve de Dolorès Rodrigue à un dessin original, la *Sainte-Catherine* d'Edmond-J. Massicotte; Lionel possédait une trentaine d'originaux de ce grand illustrateur de la vie québécoise du début du siècle.

Dans le respect et la volonté de l'ethnologue et de sa propre vocation, l'UQTR entend veiller au développement de la collection. Le recteur Louis-Edmond Hamelin a d'ailleurs annoncé que le déménagement se ferait avant la fin de l'année 1983. Il prévoit l'aménagement d'un emplacement qui serait en quelque sorte un petit hameau rural

177

québécois sur le campus de l'université, constitué du Vieux Moulin à vent de Trois-Rivières et des bâtiments faisant partie de la collection. On l'installera, pour une période initiale, dans le pavillon Jean-Godefroy, qui sera bientôt nommé pavillon Robert-Lionel-Séguin. On envisage très bientôt d'organiser des expositions itinérantes et des prêts de pièces.

L'acquisition de cette précieuse collection par l'UQTR place la ville de Trois-Rivières au carrefour de l'ethnologie mondiale, si l'on ajoute notamment le Musée Pierre-Boucher du Séminaire Saint-Joseph, celui des Ursulines, le site des Vieilles-Forges, le Vieux Moulin à vent et la riche documentation ethnographique de l'université.

Déjà se dessine le rêve de Lionel qui, dès 1973, entrevoyait un «futur musée national des arts et traditions populaires où jeunes et vieux, étudiants et travailleurs, initiés et profanes, du monde entier, découvriraient et étudieraient l'évolution et la transmission de la culture québécoise».

En ce qui a trait au développement intellectuel de la collection, l'Université du Québec à Trois-Rivières proposait, en ce 13 juin 1983, d'en assurer le catalogage complet pour les prochaines années. On envisageait en outre, à court et moyen terme, la mise sur pied d'études de premier cycle en ethnologie et l'élaboration d'une pédagogie muséologique. On veut donner encore plus d'élan au Centre de recherche et d'études québécoises. Tous des projets qui n'auraient jamais vu le jour si Robert-Lionel n'avait pas d'abord créé la chaire d'ethnologie traditionnelle québécoise à l'Université Laval à Québec.

Par son travail de bénédictin, Séguin s'est appliqué à réunir tous les objets d'époque susceptibles de reconstituer l'existence de l'homme et de la femme du Québec au temps de la civilisation traditionnelle. Il ne voulait pas se limiter à l'objet lui-même, à son utilité, à sa fabrication; il s'est toujours intéressé à l'utilisateur, à celui qui animait les objets. Le mode de vie de nos ancêtres le passionnait et il a accumulé dans ses recherches, souvent des faits cocasses consignés dans des registres officiels qui en disent long sur les mentalités du temps, notamment dans deux livres publiés sous le titre *La vie libertine en Nouvelle-France au XVIIᵉ siècle* :

« À Trois-Rivières, Jean Aubuchon a marié Marguerite Sédillot, âgée de onze ans... » « Le curé Frémont dénonce en chaire la vie galante du couple Maheu. Si le mari est ivrogne et paresseux, la femme, par contre, n'a aucun scrupule à vendre ses faveurs au marchand Jacques Patron. » « Au dire d'une déposante, le printemps est à peine arrivé que la femme Leblond s'allonge nue sur l'herbe pour goûter aux délices d'Éros. Mais, dit-elle, le mois de mai n'est-il pas le mois des amours ? » « J'ai vu la femme du nommé Picard, la jupe levée, couchée dans le fossé, avec un homme couché sur elle. Ledit homme levé, un autre vint prendre sa place dans la même posture. »

Séguin faisait son miel de tout, petite vie comme événements historiques. Il faudra bien un jour que son œuvre écrite soit revue et mise à la portée du grand public pour qu'on l'apprécie à sa juste mesure.

Comme le soulignait le recteur Louis-Edmond Hamelin à la fin de cette réunion décisive du 13 juin 1983, « il faudra une vingtaine d'années pour inventorier toute la richesse de cette collection, évaluée à quatre millions de dollars, comprenant 20 000 à 35 000 pièces authentiques et uniques. Le déménagement à Trois-Rivières de cet amoncellement énorme, remisé présentement dans huit édifices pleins à craquer, durera quatre mois. C'est fantastique et emballant pour l'UQTR, surtout quand on pense que tout le monde convoitait cette collection ! À force d'aimer une fleur on la fait naître... Eh oui ! presque toutes les grandes universités d'Amérique, les plus prestigieuses, voulaient ce fabuleux butin national ! »

En juin 1983, André Héroux, directeur des projets spéciaux de l'UQTR, est nommé administrateur délégué à la Collection Séguin. Un comité a également été formé pour s'en occuper. En plus de messieurs Soumis et Boulet, on apprend que Gilles Bourassa, directeur du service de l'équipement, et Ronald Morin, directeur des achats, siégeront à ce comité.

Le calendrier touchant le déménagement, l'aménagement des locaux, le remisage et la mise en service de toutes les pièces pourrait être au point au début de septembre. Claude Bruneau, dans *Le Nouvelliste*, souligne qu'il y a beaucoup de travail dans l'ombre derrière ces réalisations et il félicite tous ceux qui sont responsables de la venue de la Collection Séguin à Trois-Rivières.

Six mois après l'acquisition de la collection, le 21 novembre 1983, l'UQTR procède à son déménagement, qui dure cinq jours et cinq nuits. Toutes les précautions sont prises pour assurer une sécurité sans faille et pour prévenir les bris éventuels. Le travail est exécuté par André Héroux, directeur du Service des archives et des collections, et Maurice Carrier, directeur scientifique de la Collection Séguin, par le Département des sciences humaines, Guy Toupin, Diane Perron, François Zeman et la firme Martel Express.

Devant l'ampleur de l'événement, le quotidien *La Presse* y consacre deux grands reportages illustrés, en page frontispice, les 25 novembre et 31 décembre 1983. Conrad Bernier raconte les aléas de la cavalcade, parle des quinze personnes qui ont travaillé à étiqueter, numéroter et encaisser chaque pièce de la collection. Toutes les phases du déménagement avaient été réglées minutieusement.

Cette collection, dit André Héroux, est d'abord un bien national, absolument unique et irremplaçable, et, à ce titre-là, son déménagement exigeait une planification détaillée et une exécution sans faille. Pourtant, il y avait là, au départ, compte tenu de l'énormité de la collection – près de 40 000 pièces – et de la fragilité de milliers de pièces, de quoi donner le vertige, sinon une sacrée trouille !

Durant toute la semaine, des mesures exceptionnelles de sécurité ont entouré les opérations d'archivage, le transport, le déchargement et l'entreposage des caisses à Trois-Rivières. Chaque boîte était scellée au fur et à mesure, tout comme les remorques. Des agents de sécurité veillaient jour et nuit et des membres de la Sûreté du Québec étaient prêts à intervenir à tout moment.

Jacques Lagacé, propriétaire de Martel Express ltée, de Trois-Rivières, voulait à tout prix avoir l'honneur de transporter sur le campus de l'UQTR cette fameuse collection. « Quand j'ai su que j'avais obtenu le contrat, j'ai dit à mes hommes qu'on allait vivre un moment historique et qu'ils devaient prendre, alors, leurs mains du dimanche... » Après la corvée, l'un d'eux avoua : « Cette semaine de travail, c'est un cours époustouflant de 100 heures sur l'histoire du Québec. Je suis quasiment en état de choc... »

Le vice-président à l'enseignement et à la recherche, Jean-Marie Archambault, déclarait au journaliste Conrad Bernier qu'il qualifiait le déménagement de « solide performance. Et d'autant plus solide que tout est là, absolument tout, aucune pièce n'ayant disparu ou n'ayant été endommagée. La protection de la collection, dans son intégralité, c'était un absolu ! Qui exigeait des mesures exceptionnelles à tous les niveaux. Aujourd'hui, on doit dire : mission accomplie ! »

Le déploiement maximal de cette collection, selon la direction de l'université, permettra de témoigner à quel point Robert-Lionel Séguin a été un magnifique visionnaire,

181

un génie et, sans exagérer, l'un des plus grands ethnologues du pays.

Qu'adviendra-t-il des neuf bâtiments ou maisons qu'on doit aussi transporter sur le campus de l'UQTR? La Ville de Rigaud et son maire Aimé Aubry auraient bien voulu les conserver sur les lieux. Le conseiller Albert Dicaire, appuyé par Denis Desjardins, propose qu'une demande d'aide technique soit présentée au ministère des Affaires culturelles. La résolution est adoptée à l'unanimité, mais cette demande restera lettre morte. Très tôt, cependant, une rue portera le nom de Robert-Lionel-Séguin.

Le 15 décembre 1983, dans le cadre du Salon des artisans de Québec, les Presses de l'Université du Québec lancent *La vie quotidienne au Québec*, sous la direction de René Bouchard. L'événement a lieu au Centre municipal des congrès de la capitale.

Connaissant l'intérêt que portait Félix Leclerc à Lionel et à son œuvre, je glisse un exemplaire du nouvel ouvrage dans sa boîte aux lettres à l'île d'Orléans :

Île d'Orléans, 8 mai 1984

Cher Marcel Brouillard,

Sois remercié ainsi que madame Huguette Séguin pour ce magnifique livre que nous avons trouvé avec un mot de ta part dans la boîte à lettres.

J'endosse entièrement le bel hommage que l'on rend à l'ethnologue ami Robert-Lionel Séguin, mais un ethnologue c'est quoi?

Un ramasseux, un fouilleux, un rassembleux, un chef d'orchestre. On écoute et la symphonie passe.

Mon cher Marcel, mes bonnes pensées t'accompagnent.

Félix Leclerc

P.-S. Trois étoiles à Madeleine Ferron pour son texte : L'étoile de monsieur Séguin.

La fierté de leur appartenance au Québec, leur amour pour la nation québécoise, leur foi solide en l'avenir et en leurs semblables avaient depuis longtemps fait naître l'amitié entre ces deux Québécois qui avaient beaucoup en commun. Les deux ont acquis une réputation internationale, l'un pour ses écrits et chansons, l'autre pour ses ouvrages d'ethnologie. Tous les deux ont reçu de nombreux hommages dont le prix Ludger-Duvernay, qui a pour but, comme on le sait, de signaler les mérites d'un écrivain dont l'œuvre et le rayonnement servent les intérêts du Québec.

« Les grands hommes ne sont pas oubliés », écrit Francine Deschamps dans *L'Écho de Vaudreuil-Soulanges*, le 28 août 1984. Elle est heureuse d'annoncer que Boucherville a décidé de donner à la grande salle de sa bibliothèque municipale le nom de Robert-Lionel-Séguin et qu'on y installera un montage de textes et de photos sur la vie du bibliophile averti.

Pour sa part, l'Association des amis et propriétaires de maisons anciennes du Québec (APMAQ) décerne pour la première fois, en octobre 1984, son prix Robert-Lionel-Séguin. Cette distinction est accordée à une personne ayant travaillé à la restauration d'un vieux bâtiment. Arthur Labrie en est le gagnant. Vingt ans de travail à restaurer son moulin de Beaumont. L'historien Michel Lessard suivra. Ensuite, ce sera au tour de l'antiquaire de Deschambault, Jean-Marie DuSault, de l'historien Luc Nopen et de l'architecte André Robitaille. Ils sont tous dignes de mention : Pierre Cantin, Thérèse Romer, Daniel Carrier, Guy Pinard, France Gagnon-

Pratte, Jules Romme et les derniers en 1995, Hélène Deslauriers et François Varin.

※

Sitôt le premier déménagement de toutes les pièces de la collection accompli – on peut, sans se tromper de beaucoup, parler de 35 000 objets –, l'UQTR entreprend la deuxième phase de son programme. Au fil du temps, Lionel avait acheté, transporté et installé dans son vaste domaine deux maisons de type architectural traditionnel, deux laiteries, un séchoir à maïs, une baraque à foin provenant, on le sait, des Îles-de-la-Madeleine, une grange à encorbellement, une porcherie à toit de chaume et *le* marche-à-terre.

Au début de 1985, l'équipe de la Collection Séguin s'affaire à élaborer différents scénarios, on fait des comptes, on entreprend des démarches auprès de compagnies spécialisées en transport de bâtiments. Faudra-t-il les déménager d'un bloc? Ou plutôt les démonter pièce par pièce pour ensuite les remonter sur le campus de l'université? Auquel cas il faudra en assurer l'authenticité de la reconstruction.

Une équipe restreinte est chargée de prendre les décisions : Guy Toupin, Claude Lessard et Roger Piché, tous trois de l'UQTR, et Réginald Carrière, beau-frère de Lionel. Le 20 avril 1985, tout le monde est à son poste à Rigaud. Le désassemblage durera cinq semaines et comprendra bien des opérations : l'étiquetage, le retrait, l'entreposage et le déménagement des pièces, sans oublier la remise en ordre de la propriété.

La reconstitution de ces édifices au cours des mois suivants perturbera agréablement la vie des occupants de l'UQTR et celle de la population trifluvienne. Charpentiers, menuisiers, plâtriers, peintres livrent là la pleine mesure de leurs différentes spécialités. C'est, pour certains, l'occasion de participer à l'histoire du Québec.

✦

Le premier souci qui nous a habités au lendemain du déménagement de la Collection Séguin à Trois-Rivières, raconte Maurice Carrier, a été de nous vouer à l'élaboration du catalogue afin de le rendre accessible, intelligible. De fait, une collection, quelle qu'elle soit, ne doit point être, selon l'expression de Jean Cuisenier, « une nécropole d'objets soustraits à leurs détenteurs d'origine », mais plutôt un « conservatoire » d'objets rassemblés et propres à exprimer « un trésor de pratiques » qui tiennent du savoir-faire, du savoir-être.

Nul ne saura jamais le zèle déployé, dans l'ombre, à la réalisation de ces travaux scientifiques, validés constamment par des échanges avec les spécialistes tant de Québec, d'Ottawa que de Paris.

Pendant qu'on s'active à dépouiller le contenu des deux déménagements de Rigaud à Trois-Rivières, pour qu'un jour le public puisse en jouir pleinement, des organismes mettent sur pied des expositions dans divers domaines, sous la direction scientifique de Maurice Carrier. Du 23 novembre 1985 au 12 janvier 1986, le Musée régional de Vaudreuil-Soulanges, dirigé par Daniel Bissonnette, présentera « Les jouets anciens du Québec » et, du 15 mars au 4 juin 1986, on fera place à « La peinture populaire ».

En septembre 1986, on peut admirer sur les terrains de l'UQTR tous les bâtiments de Rigaud qui ont refait surface. Décor plus vrai que nature, et pour cause ! Mis à part la maison traditionnelle du colon, c'est la grange à encorbellement qui attire le plus l'attention. On pense que l'habitant aurait adopté, d'instinct, ce mode de construction des plus fonctionnels, puisque le mur en saillie empêche la neige de s'amonceler devant les portes et les fenêtres.

❈

En 1987, pendant que sur le terrain politique on tente d'obtenir un vrai musée pour mettre en valeur la Collection Séguin, des spécialistes inventorient, cataloguent, nettoient les trésors de Séguin dans les sous-sols de l'UQTR. À l'automne de cette année-là, on lèvera le voile sur quelques-unes de ces pièces, dans le cadre de l'exposition «Au temps du patriote», à Trois-Rivières. Et, en décembre, dans la même ville, le Musée Pierre-Boucher présentera une exposition à partir des jouets anciens de la collection. Au gré des subventions, une équipe réduite ou augmentée travaille sans relâche à l'aboutissement de tant d'efforts.

En ce début d'année 1988, deux volets de la collection sont mis à l'étude : les outils agricoles à percussion lancée, les couvertures de lit et les vêtements anciens. «La liste [des vêtements] est longue comme une litanie et belle comme une chanson à répondre : bas, bonnet, caleçon, camisole, coiffe, cornette, corps, écharpe, gant, manchon, manteau, sémarre, tovoyelle. La nécessité a donné aussi naissance à des mots à l'acception bien d'ici : crémone, mitaine, tuque», a écrit Séguin.

En élaborant les fiches de ces artefacts, Claire Bouchard, Lise Germain, Serge Fortier, Christian Denis et Guy Toupin ont fait d'innombrables découvertes sur lesquelles ils sont intarissables. Autant que l'est Maurice Carrier qui, en tant que poète, ne finit pas de s'émerveiller de tous ces mots riches comme la terre nourricière que l'œuvre de Séguin perpétue : le manchon, la houette, le hoyau, le piochon, la serfouette... Il en émaille ses conférences, surtout quand il raconte Séguin. De la vraie musique... C'est Lionel qui aurait aimé entendre ça !

Lorsque Lionel est décédé en 1982, il en était à réviser un important ouvrage, commencé en 1960. Vingt-deux ans de recherche et de dur labeur. Ce n'est que le 7 juin 1989 que Guérin littérature et le Centre d'études sur la langue, les arts et les traditions populaires des francophones en Amérique du Nord (CELAT), dirigé par John R. Porter, lancèrent *L'équipement aratoire et horticole du Québec ancien* (XVIIe, XVIIIe et XIXe siècle) en deux tomes, au Conseil de la Faculté des lettres de l'Université Laval à Québec.

C'est grâce à l'apport primordial de Jean-Claude Dupont et à la ténacité d'Huguette Servant-Séguin et de l'éditeur Yves Dubé que cette immense recherche sur l'agriculture a pu voir le jour. Cette étude basée sur des faits précis relevés par l'auteur est constituée de documents oraux et historiques et d'actes notariés.

> Les travaux de Robert-Lionel Séguin sur la culture matérielle, affirme Jean-Claude Dupont, n'ont pas d'équivalent et il existe bien peu de professionnels et d'étudiants dans le domaine de l'ethnographie qui n'aient pas bénéficié de ses écrits ou de ses archives documentaires. Ces deux livres illustrés (près de 1000 pages) prolongeront l'œuvre de cet érudit, acharné au travail, en ajoutant des connaissances sur le milieu de vie traditionnel.

En 1983, le recteur Jacques R. Parent suggère qu'on mette sur pied une corporation privée qui serait responsable de la construction d'un musée pour abriter la Collection Séguin. Cette corporation profite, en 1989, du Sommet économique de Trois-Rivières pour faire accepter l'idée d'un musée. Jacques R. Parent fait alors appel à Gilles Boulet pour que celui-ci prenne la direction de l'établissement. « Par la suite, précise M. Boulet, nous avons convaincu les ministres Marcel Masse (au fédéral) et Liza Frulla (au provincial) du bien-fondé de notre projet évalué maintenant à plus de 15 millions de dollars... Les gens n'ont pas idée de ce que représente vraiment le musée. Quand il sera finalement ouvert au public, ce sera le début d'une extraordinaire aventure pour la population de la Mauricie et de tout le Québec. »

Fin 1989, Huguette Séguin piaffe d'impatience. Elle n'en peut plus d'attendre. La Collection Séguin trouvera-t-elle enfin un lieu à sa mesure ? Ses nombreux appels, ses lettres et ses visites à l'UQTR sont bien près d'avoir raison de sa patience et de ses énergies. C'est donc dans un état d'esprit où se confondent le soulagement, l'anxiété et la joie qu'elle lit attentivement la lettre qui lui parvient le 19 janvier 1990 :

J'ai tardé à répondre à votre lettre parce que je voulais être certain de vous donner des nouvelles qui soient réalistes. On m'a donc nommé directeur du Musée de la tradition et de l'évolution qui doit être construit pour mettre enfin cette extraordinaire collection à la disposition du public, l'entretenir correctement et la présenter dans toute la splendeur qu'elle mérite. J'ai commencé à déblayer le terrain dès la fin du mois de décembre et je m'y consacre actuellement à peu près à plein temps.

Je dois vous avouer que le dossier, qui semblait gelé jusqu'ici, se débloque rapidement et que toutes les pièces du casse-tête se mettent en place...

Les rencontres que j'ai eues, entre autres avec les fonctionnaires responsables, indiquent de tous côtés un

enthousiasme certain pour que le musée soit rapidement
mis sur pied et que la Collection Robert-Lionel-Séguin
soit enfin présentée correctement à la population du
Québec... Je vous tiendrai au courant des développe-
ments importants de ce dossier...

Gilles Boulet

CHAPITRE 16

Enfin, le Musée des arts et traditions populaires du Québec

Si l'on désigna pendant un certain temps «Musée de la tradition et de l'évolution» l'établissement qui sera créé à Trois-Rivières, c'est finalement le nom «Musée des arts et traditions populaires du Québec» qui l'emportera, appellation consacrée dans la francophonie pour nommer les établissements à vocation ethnologique. D'ailleurs, depuis 1973, Robert-Lionel Séguin l'avait toujours désigné ainsi. C'est Laurent Bouchard, du ministère de la Culture, qui tranchera définitivement cette question.

Selon le directeur général du projet, Gilles Boulet, il s'agit bien d'une consécration qui donne déjà au nouveau musée un statut d'envergure nationale et internationale. Cette nouvelle est rendue publique le 28 juin 1990, lors de la visite à Trois-Rivières du ministre des Communications du Canada, Marcel Masse, qui livre en même temps une subvention de 180 000 $ à la Corporation du musée.

À cette occasion, Marcel Masse souligne à quel point le Québec a beaucoup de rattrapage à faire sur le plan de la muséologie. Cette subvention arrive au bon moment pour qu'on puisse mener à bien toutes les étapes préliminaires à la réalisation même du projet, soit la phase d'appel d'offres et de la construction. Le député fédéral de Trois-Rivières, Pierre H. Vincent, parle alors des différentes possibilités qui s'offrent pour l'emplacement du futur musée.

Pour sa part, Gilles Boulet estime que tout sera prêt en février 1991, rappelant qu'on n'en est plus aux études de faisabilité mais bien au travail préparatoire à la première pelletée de terre.

❖

C'est finalement en juin 1992 que tout se concrétise. L'emplacement est choisi : le Musée des arts et traditions populaires occupera un terrain vacant à côté de la Vieille Prison construite de 1816 à 1822 par François Baillargé. Elle sera reliée par un passage au nouvel édifice. Une fois le musée ouvert au public, on pourra visiter la Vieille Prison de Trois-Rivières qui raconte le quotidien des détenus à travers le parcours de ses vingt cellules. Ce sera une occasion unique de découvrir l'univers carcéral de cette institution du 19e siècle et de ses 160 années d'histoire.

Quant au directeur choisi, c'est celui-là même qui a fondé l'UQTR, Gilles Boulet, et qui a engagé Robert-Lionel Séguin comme professeur pour plus tard négocier avec lui, puis ensuite avec Huguette et son conseiller Me André Brunelle, l'acquisition de la collection. L'ancien directeur du Musée d'art populaire de Charlevoix, Magella Paradis, est nommé conservateur en chef du nouvel établissement qu'il quittera en juin 1995. C'est l'ex-conservatrice du Musée de la Gaspésie, Cécile Gélinas, qui devient la directrice de la section ethnologie au nouveau musée de Trois-Rivières et veille sur la Collection Séguin.

Le Musée des A.T.P. s'inscrit par ailleurs dans un réseau régional qui comprend déjà les Forges du Saint-Maurice, établies en 1729, près de Trois-Rivières, le Musée du bûcheron à Grandes-Piles, le Musée des religions à Nicolet, le Musée Laurier à Arthabaska et le Centre d'interprétation de l'industrie à Shawinigan, le Musée Pierre-Boucher, le Musée des Ursulines et celui du Père Frédéric, à Trois-Rivières.

Pour accroître la visibilité du futur musée et susciter l'intérêt du public, on organise une exposition, à l'été de 1992, dans une salle du nouvel immeuble du Trust Général, sur la rue Royale, à Trois-Rivières, avec plus de 200 objets de la Collection Séguin. L'exposition est aussi prétexte à jumeler le musée, encore en gestation, au Musée dauphinois de Grenoble, fondé en 1906, qui a des préoccupations similaires et peut en quelque sorte servir de modèle.

Le 15 août 1992, alors que l'on s'active plus que jamais à la construction du Musée, Stéphane Boulanger écrit dans *Le Devoir* que « l'on pourra bientôt admirer la Collection Séguin, qui comporte 25 628 objets déjà répertoriés. Rien de ce qui était québécois n'indifférait Robert-Lionel Séguin et son objectif avoué était de revivifier la mémoire collective en montrant l'unité culturelle du Québec en devenir, surtout de la Nouvelle-France au Canada français. »

À la fin de 1995, Yves L. Duhaime accepte de présider la campagne de financement du Musée des arts et traditions populaires du Québec. Cette campagne est lancée par la Fondation du Musée des A.T.P., présidée par Micheline Locas. Quinze administrateurs, issus de différents secteurs économiques, forment le conseil d'administration du Musée, une corporation privée sans but lucratif, dont le président est Jacques R. Parent.

Il a fallu vingt-trois ans pour que le rêve devienne enfin réalité puisque le Musée des arts et traditions populaires du Québec est inauguré en juin 1996. Le nouvel édifice, constitué de quatre bâtiments, véritable palais de merveilles, comprend sept salles d'exposition consacrées aux arts et traditions populaires, à l'archéologie préhistorique européenne et amérindienne et à l'actualité régionale. Grâce à la diversité de ses collections, le musée présente des expositions originales, jeunes et vivantes, qui jettent un regard neuf sur l'histoire du Québec.

Les bâtiments (séchoirs à maïs, laiterie, etc.) seront aménagés dans la cour arrière de la Vieille Prison. L'actuel pavillon universitaire Robert-Lionel-Séguin, du boulevard des Forges, logera le centre de documentation et le service de la gestion des archives et collections.

Le nouveau musée se veut un lien de continuité entre le passé et le présent, dans cette deuxième ville française d'Amérique. En plus d'être jumelé au Musée dauphinois de Grenoble, celui de Trois-Rivières l'est maintenant avec le Musée de la préhistoire de Tautavel, situé dans le sud de la France, jumelage que n'aurait pas désavoué Lionel.

Tout a un prix : celui du musée est de 15 600 000 $. Les gouvernements du Canada et du Québec se sont engagés à appuyer la construction du musée en lui versant respectivement 6 500 000 $ et 7 600 000 $. On s'attend à ce que le milieu des affaires et la population apportent une contribution de 1 500 000 $. Lionel serait fier de constater que son projet a créé des centaines d'emplois et rapportera au Québec des retombées économiques annuelles évaluées à 10 millions dans cette région de Radisson, Des Groseilliers, Laviolette et du gouverneur Du Plessis.

À l'époque des 20 ans de Lionel en 1940, et même de ses 30 ans, en 1950, le métier d'ethnologue n'était guère encombré au Québec. Il fallait avoir de l'audace et beaucoup d'insouciance pour s'intéresser à des vieilleries, comme certains qualifiaient les mille et un objets de la vie traditionnelle qui, heureusement, se retrouvent aujourd'hui au Musée des arts et traditions populaires du Québec, à Trois-Rivières. « Il a voulu, raconte son épouse, mettre en valeur les multiples formes des objets matériels et illustrer la beauté de la pensée et du geste quotidiens. Il croyait que les traits du savoir populaire sont aussi dignes de passer à l'histoire que les faits et gestes des personnages éminents. »

Les railleries n'ont jamais eu raison de la passion de Lionel, qui s'est souvent heurté à la méconnaissance de cette science des humains, de leur comportement et de leur environnement. D'où le mécontentement de certains dirigeants universitaires, qui ne comprenaient pas l'orientation du chercheur de trésors. Au Québec d'aujourd'hui, l'ethnologie a pris place dans la famille des sciences humaines. L'université a accueilli la culture de l'esprit d'abord, des objets matériels ensuite. Selon Jean-Claude Dupont, qui continue à perpétuer l'œuvre de son ami Séguin, nous devons à ce dernier d'avoir concouru à internationaliser l'ethnologie québécoise par le biais d'expositions muséographiques ou de présences à des colloques à l'étranger.

Ainsi, l'ethnologue a dû frayer son propre chemin, inventer sa propre école, suivre l'instinct qu'ont tous les créateurs. Homme de terrain, il a parcouru en tout sens son village, sa région, tout le Québec et il prit la peine d'aller vérifier en France pourquoi il était aussi Français que Québécois pure laine. La voie qu'il avait décidé d'emprunter était parfois bien escarpée, mais qu'importe l'état de la route puisque la fin de la course est une réussite et que l'on reconnaît tangiblement et publiquement l'importance de l'homme et de son œuvre :

> Trois fois docteur (histoire, ethnologie et sciences humaines), se rappelle Gilles Boulet, le savant Séguin se sentait chez lui de l'île d'Orléans à Saint-Georges, en Beauce, partout au Québec et même en France où il se pointait pour dénicher des objets témoins de la vie des

ancêtres. Vêtements, courtepointes, poêles, vaisselle, varlopes, tapis à langue de chat, tableaux naïfs, manuscrits ou pêche-coques, il a tout ramassé, amoureusement, méthodiquement...

SOURCES

BOUCHARD, René et al. *La vie quotidienne au Québec,* Presses de l'Université du Québec, Sillery, Québec, 1983, 395 p. ill.

CÔTÉ, Jean. *Marcel Chaput pionnier de l'indépendance,* Éditions Quebecor, 1979, 170 p. ill.

COURNOYER, Jean. *Le petit Jean,* Stanké, 1993, 952 p.

DAIGNAULT, Richard. *Lesage,* Libre Expression, 1981, 304 p. ill.

DAVID, Laurent-Olivier. *Les patriotes 1837-1838,* Jacques Frenette Éditeur inc., 1981, 350 p.

DE SALVAIL, Élie. *366 anniversaires canadiens,* Les Frères des Écoles chrétiennes, Montréal, 1930, 648 p. ill.

DUROCHER, René, Paul-André LINTEAU, François RICARD et Jean-Claude ROBERT. *Le Québec depuis 1930,* Boréal, 1986, 740 p. ill.

GROULX, Lionel. *Chemins de l'avenir,* Fides, 1964, 164 p.

LAFORTE, Conrad. *La chanson folklorique et les écrivains,* Cahiers du Québec/Hurtubise HMH, Montréal, 1973, 254 p. ill.

LASSONDE, René. *La bibliothèque Saint-Sulpice, 1910-1931,* Ministère des Affaires culturelles, 1987, 400 p. ill.

MARTIN-TARD, Louis. *Au Québec.* Guides bleus, Montréal, 1976, 216 p. ill.

PALLASCIO-MORIN, Ernest. *Sacré métier! Mémoires d'un journaliste,* Louise Courteau éditrice, 1990, 360 p. ill.

PROVENCHER, Jean. *Chronologie du Québec,* Boréal, 1991, 220 p. ill.

RIOUX, Marcel. *Les Québécois,* Éditions du Seuil, Paris, 1980, 160 p. ill.

ROBIDOUX, Fernand. *Si ma chanson,* Éditions Populaires, 1974, 160 p. ill.

RUMILLY, Robert. *Henri Bourassa,* Éditions Chanteclerc, Montréal, 1953, 792 p.

INDEX DES NOMS PROPRES

Œuvres de Robert-Lionel Séguin

Le mouvement insurrectionnel dans la presqu'île de Vaudreuil, 1837-1838, Montréal, Éditions Ducharme, 1955, 160 p.

L'équipement de la ferme canadienne aux XVIIe et XVIIIe siècles, Montréal, Éditions Ducharme, 1959, 160 p.

La sorcellerie au Canada français du XVIIe au XIXe siècle, Montréal, Éditions Ducharme, 1959, 192 p.

Les moules du Québec, bulletin numéro 188, n° 1 de la Série des Bulletins d'histoire, Musée national du Canada, Ottawa, 1963, 141 p.

Les granges du Québec, bulletin numéro 192, n° 2 de la série des Bulletins d'histoire, Musée national du Canada, Ottawa, 1963, 128 p.

La civilisation traditionnelle de l'« habitant » aux 17e et 18e siècles, Montréal et Paris, Fides, 1967, 701 p., Prix du Gouverneur général et de l'Académie française (Broquette-Gonin).

La victoire de Saint-Denis, Montréal, Parti Pris, 1968, 48 p.

Le costume civil en Nouvelle-France, bulletin numéro 215, n° 3 de la Série des Bulletins de folklore, Musée national du Canada, Ottawa, 1968, 330 p.

La maison en Nouvelle-France, bulletin numéro 226, n° 5 de la Série des Bulletins de folklore, Musée national du Canada, Ottawa, 1968, 92 p.

Les divertissements en Nouvelle-France, bulletin numéro 227, n° 6 de la Série des Bulletins de folklore, Musée national du Canada, Ottawa, 1968, 80 p.

Les jouets anciens du Québec, Montréal, Éditions Leméac, 1969, 112 p.

La sorcellerie au Québec du XVIIe au XIXe siècle, Montréal, Éditions Leméac, 1971, 246 p.

Les ustensiles en Nouvelle-France, Montréal, Éditions Leméac, 1972, 144 p.

La vie libertine en Nouvelle-France au XVIIe siècle, Montréal, Éditions Leméac, 1972, 2 vol., 573 p., prix France-Québec.

L'esprit révolutionnaire dans l'art québécois, Montréal, Parti Pris, 1973, 580 p.

L'injure en Nouvelle-France, Montréal, Éditions Leméac, 1976, 252 p.

La danse traditionnelle au Québec, Presses de l'Université du Québec, 1986, 176 p.

L'équipement aratoire et horticole du Québec ancien, du XVIIᵉ au XIXᵉ siècle, Montréal, Éditions Guérin, 1989, 2 vol., 972 p.

Rééditions

La civilisation traditionnelle de l'« habitant » aux 17ᵉ et 18ᵉ siècles, Montréal, Fides, 1973, 2ᵉ édition, 701 p.

Les jouets anciens du Québec, Montréal, Éditions Leméac, 1976, 2ᵉ édition revue et augmentée, 124 p.

La sorcellerie au Québec du XVIIᵉ au XIXᵉ siècle, Montréal et Paris, Éditions Leméac/Payot, 1978, 3ᵉ édition revue et augmentée, 250 p.

Réimpressions

Les granges du Québec, Montréal, Éditions Quinze, 1976, 128 p.

Monographie de la paroisse Saint-Thomas-d'Aquin (Hudson), album commémoratif, Montréal, édition hors commerce, 1947, 56 p.

Ce premier tirage a été
achevé d'imprimer en juin 1996
sur les presses des Imprimeries d'édition Marquis,
Sherbrooke, Québec.